Certificado Inicial

Preparación para el Certificado Inicial de Español Lengua Extranjera

Marta BARALO

Berta GIBERT

Belén MORENO DE LOS RÍOS

Profesoras del Centro de Estudios Hispánicos

Antonio de Nebrija, de Madrid

edelsa

GRUPO DIDASCALIA, S.A.

Plaza Ciudad de Salta, 3 - 28043 MADRID - (ESPAÑA)
TEL.: (34) 914.165.511 - FAX: (34) 914.165.411

Primera edición: 1994

Primera reimpresión: 1996

Segunda reimpresión: 1998

Tercera reimpresión: 1999

Dirección y coordinación editorial: Pilar Jiménez Gazapo
Adjunta dirección y coordinación editorial: Ana Calle Fernández
Diseño y maquetación: Luis Miguel García
Ilustraciones: Lola Herrero (imágenes Prueba 3) y José Ignacio Salmerón (viñetas Prueba 5)
Diseño de portada y fotomecánica: Departamento de imagen Edelsa
Imprime: Gráficas Rogar

ISBN: 84-7711-090-5

Depósito legal nº: M-540-1999

Prólogo

Si ha decidido prepararse para obtener el Certificado Inicial de Español (CIE), este libro le será de gran utilidad, ya que está diseñado específicamente para ello.

Preparación para el Certificado Inicial de Español Lengua Extranjera contiene ocho modelos de examen, con la misma estructura y los mismos tipos de ejercicios que presenta el examen para el que usted se va a preparar. Cada modelo está dedicado a un tema que trata de poner al estudiante en contacto con la vida, las costumbres y la cultura española actual. El material utilizado se caracteriza por su autenticidad, tanto en los textos escritos como en los orales, aunque hemos tenido especial cuidado en realizar una selección adecuada al nivel al que se dirige. En todas las unidades va a encontrar las siguientes secciones:

Interpretación de textos escritos: Textos periodísticos, agendas culturales y anuncios, entre otros, con preguntas de V/F (Verdadero o Falso) y de selección múltiple.

Producción de textos escritos: Propuestas de cartas, postales y fichas personales, con instrucciones para su redacción.

Interpretación de textos orales: Textos orales variados, con diálogos, conversaciones telefónicas y anuncios, seguidos de preguntas de selección múltiple para comprobar su comprensión. (El uso de la cinta grabada que acompaña al libro le será imprescindible para esta práctica.)

Conciencia comunicativa y metalingüística: Ejercicios de léxico y gramática con textos incompletos para rellenar huecos, buscar equivalencias léxicas y seleccionar la forma adecuada, teniendo en cuenta la situación comunicativa.

Expresión oral: Dibujos en viñetas con preguntas sobre su contenido. Sugerencias para preparar entrevistas, descripciones y narraciones breves relacionadas con los temas propuestos.

Al final del libro encontrará la **clave** con las respuestas correctas, lo que le permitirá trabajar de forma autónoma y realizar una autocorrección siempre que lo necesite.

Confiamos en que este libro, además de ayudarle a preparar de forma eficaz su primer examen oficial de español, le haga disfrutar cada vez más de nuestra lengua y nuestra cultura.

LAS AUTORAS

Índice

• •

Certificado inicial de E.L.E.

La vida cotidiana

Prueba 1: Interpretación de textos escritos

PARTE NÚMERO 1

Lea con atención el siguiente texto. A continuación encontrará tres preguntas. Indique si son verdaderas (V) o falsas (F) de acuerdo con el contenido del artículo leído.

IDEAS NUEVAS

Empresas privadas buscan los establecimientos que ofrecen los mejores precios al comprador.

Para un comprador es muy frustrante no encontrar lo que busca o, lo que es peor, comprobar que lo que acaba de comprar ¡estaba más barato en otro sitio! Se han creado empresas nuevas que ahorran esos disgustos informando sobre dónde está el artículo deseado a mejor precio.

Los que no soportan ir de compras, los que no tienen tiempo a causa de sus horarios de trabajo o los que quieren el precio más barato son los posibles clientes de estas empresas.

Estas empresas dan información sobre artículos muy variados, aunque de momento no se ocupan de los alimentos ni de la ropa. Los productos más solicitados suelen ser todos los electrodomésticos. El precio de este servicio es el 20% del ahorro conseguido. Sólo tiene que llamar por teléfono, dar las características de lo que desea comprar, y la empresa se pone en marcha.

(realize/discover)
(deal with/work with/be concerned with)

(Adaptado de EL PAÍS SEMANAL, nº158. 27-2-94)

<u>PREGUNTAS</u>   V.   F.

1. *En todos los establecimientos los productos tienen el mismo precio.*   ☐   ☒

2. *Hay nuevas empresas que le ayudan a conseguir un producto más barato.* ☒   ☐

3. *La empresa no cobra nada por los servicios.*   ☐   ☒

PARTE NÚMERO 2

Lea con atención cada uno de los textos siguientes. Marque con una X la respuesta correcta de acuerdo con el texto.

• TEXTO 1

Acuérdate de que hoy vienen a cenar los Moreno. Recoge la tarta de fresa que tengo encargada en la pastelería. Son 2.000 ptas.

Esta nota dice que:

a) *Tiene que comprar un postre dulce.*

b) *Tiene que ir a la frutería para comprar fresas.*

c) *Tiene que ir a la cena pero no tiene que comprar nada.*

• TEXTO 2

> ### Los jardines de Valencia
>
> Entre los múltiples atractivos de Valencia, para disfrutar todos los días, están sus jardines. En el Jardín del Real encontrarás varios estanques, una gran pajarera, flores muy diversas y bonitos rincones para pasear.

La gente de Valencia y sus visitantes, según el texto:

[a] *No tienen lugares atractivos para disfrutar.*

[b] *Pueden acudir a un parque lleno de naranjos.*

[c] *Pueden pasear por un parque agradable y cuidado.*

• TEXTO 3

> ### Cuidado de tu cuerpo
>
> Si tienes el pelo muy seco y estropeado, prueba este tratamiento natural. Mezcla 5 cucharadas de aceite de oliva con 3 de zumo de limón y frótate la cabeza con la preparación. Envuélvete la cabeza con una toalla durante una hora. Luego te lavas con un champú suave.

En este texto le aconsejan para cuidar su cabello:

[a] *Lavarlo con mucha frecuencia.*

[b] *Tratarlo con limón y aceite.*

[c] *No utilizar aceites o zumos.*

• TEXTO 4

> ### Buenas maneras
>
> Si tiene una entrevista para conseguir un trabajo piense también en su apariencia. Si se trata de un banco o de una empresa convencional, elija un traje serio y formal. En cambio, si es una agencia de publicidad, por ejemplo, puede vestirse de forma más original. Lo importante es que se sienta a gusto con lo que lleve.

Cuando se presenta a una entrevista de trabajo:

[a] *Es importante cuidar su forma de vestir.*

[b] *Puede vestirse de cualquier forma.*

[c] *Siempre hay que ir con la misma ropa.*

6

•TEXTO 5

CALIDAD DE VIDA

Para tener una mejor calidad de vida es necesario conocer y evitar los principales riesgos de la vida diaria. Son cosas que hacemos todos los días pero que, a veces, tienen peligros. Por ejemplo, dejar los productos de limpieza al alcance de los niños; no utilizar el cinturón de seguridad en los coches, o el casco para ir en bicicleta o en moto.

En las actividades cotidianas:

[a] *Existen situaciones que nos pueden poner en peligro.*

[b] *No hay riesgos porque las hacemos todos los días.*

[c] *Se puede circular sin casco o cinturón.*

•TEXTO 6

Buena calidad general de los juegos de sábanas

En un estudio de la revista CIUDADANO se ha llegado a la conclusión de que las sábanas que compramos son, en general, de buena calidad, con colores firmes y resistentes a las roturas. El único problema encontrado es que las medidas son incorrectas, en algunos casos, y resultan pequeñas para las camas.

Las sábanas que compramos:

[a] *A veces, no tienen el tamaño adecuado.*

[b] *Se rompen con facilidad.*

[c] *Pierden el color al lavarlas.*

•TEXTO 7

AVISO
A LOS
CONDUCTORES
CONDUZCA
CON PRECAUCIÓN
MANTENGA SIEMPRE
DISTANCIA DE SEGURIDAD

Los conductores deben:

[a] *Guardar una distancia prudente con respecto al vehículo que va delante.*

[b] *Conducir con la seguridad de que van a la misma distancia.*

[c] *Conducir despacio sin dejar distancia.*

Lea con atención la información sobre algunos teléfonos que empiezan con el número 900 y que encontrará en muchos anuncios publicitarios. A continuación responda a las preguntas según el texto.

Uso del teléfono: Prefijos con sorpresa

Los números 900 de Telefónica aparecen en los anuncios de muchas empresas, pero no está muy claro lo que cuesta utilizarlos. Algunas empresas los anuncian como gratuitos, pero hay algunos servicios que no lo son. Por eso conviene informarse bien antes de usar estos teléfonos y decidir si está dispuesto a pagar su coste.

El prefijo 900: sirve para dar información y atender al cliente. Es el único gratuito. Lo utilizan las empresas que quieren dar a conocer sus productos de forma masiva y están dispuestas a correr con todos los gastos.

El prefijo 901: atención, información y servicios al cliente. El coste se comparte entre la empresa que los ofrece, que paga la mayor parte, y el usuario (Ud.), que paga una llamada metropolitana (dentro de la ciudad). Los 3 minutos cuestan 8,72 ptas.

El prefijo 902: es el mismo servicio que el anterior, pero el usuario (Ud.) paga la mayor parte, equivalente a una llamada interprovincial. Los 3 minutos cuestan 95,92 ptas.

El prefijo 903: es muy caro y se usa para los servicios considerados indeseados (eróticos, p. ej.), por eso hay que solicitar de forma especial su conexión. Todo el coste de la llamada lo paga el usuario. Los 3 minutos valen 191,84 ptas.

El prefijo 904: el abonado puede recibir sus llamadas en cualquier punto del territorio, por lo que tiene que comunicar a la red de Telefónica en qué número de teléfono se encuentra. El servicio cuesta 500 pesetas iniciales y 2.000 pesetas mensuales. Los 3 minutos valen igual que el 902.

El prefijo 905 sirve para recibir una gran cantidad de llamadas al mismo número en un momento determinado. Lo utilizan los medios de comunicación en concursos, votaciones, etc. Los 3 minutos valen igual que el 903.

Todos estos teléfonos tienen una tarifa más barata por la noche, desde las 22 h. hasta las 8 h.

(Adaptado de CIUDADANO, nº 232. Marzo 1994)

PREGUNTAS

1. Hay un número de teléfono al que no cuesta nada llamar, ¿cuál es? ....

2. Usted puede hablar con cualquier teléfono que empieza por 900, excepto con uno, ¿cuál? ....

3. ¿Cuál es el más barato? ....

4. Uno de estos teléfonos se utiliza normalmente en algunos programas de televisión, ¿cuál es? ....

5. Hay un horario que resulta más barato, ¿cuál es? ....

6. En uno de estos teléfonos el usuario (Ud.) paga todo el coste de la llamada, ¿cuál es? ....

7. Hay un teléfono que cuesta menos al cliente y más a la empresa, ¿cuál es? ....

Prueba 2: Producción de textos escritos

PARTE NÚMERO 1

Complete la siguiente encuesta sobre los hábitos de vida en las grandes ciudades con los datos que se le piden.

Apellidos _____ Nombre _____

D.N.I. o Pasaporte Nº _____

Nacionalidad _____

Domicilio _____

Teléfono _____

Estudios _____

Profesión _____

¿Qué medios de transporte utiliza habitualmente?: (señale con una X)

☐ autobús ☐ metro ☐ coche ☐ ninguno

¿Dónde hace las compras de comida y de artículos de limpieza?:

☐ mercado ☐ tiendas de su barrio ☐ hipermercados

¿Dónde come los días laborables? _____

¿Cuánto tiempo dedica diariamente?:

- al transporte _____

- a los trabajos de la casa _____

- a dormir _____

- a su actividad profesional _____

¿Qué programas de televisión y/o radio prefiere? _____

_____

¿A qué dedica su tiempo libre? _____

PARTE NÚMERO 2

Elija uno de los dos ejercicios que se le presentan a continuación.

A) Ud. ha leído el siguiente anuncio en la prensa y quiere responder. Escriba una postal a la persona que lo firma, presentándose y describiendo sus rasgos más interesantes (físicos y anímicos).

> Me gustaría conocer a chicos y chicas de otros países, interesados en hacer intercambios para mejorar su español. Prometo contestar. Gracias. María Pérez. c/Antonio Machado, 89 (3º A) Madrid 28043. España.

_____

_____

_____

_____

B) Ud. estará unos días fuera de casa y escribe una nota a su vecino, que es español, para que se ocupe de cuatro cosas que Ud. debe hacer en ese tiempo. Puede empezar y terminar con estas frases:

Como no estaré en casa, por favor:

_____

_____

_____ *. Muchas gracias por todo. Volveré el sábado.*

Prueba 3: Interpretación de textos orales

PARTE NÚMERO 1

A continuación oirá diez diálogos breves. Una persona habla con otra, y ésta última responde de tres maneras diferentes. Únicamente una de las tres respuestas es adecuada. Debe oír cada diálogo dos veces.

1. Un hombre habla con una mujer y ésta responde de tres formas distintas.

A. – _____

B. – [a] ¿Cómo es el jefe?

[b] ¿Y qué le has dicho?

[c] El jefe no está.

2. Una mujer llama por teléfono a una empresa y la recepcionista le contesta.

A. – _____

B. – [a] ¿Quién es el señor Robledo?

[b] Un momentito, ahora vuelvo.

[c] Un momento, ¿de parte de quién?

3. Un señor quiere comprar una guitarra.

A. – _____

B. – [a] ¿Quién la vende?

[b] ¿Qué precio tiene?

[c] ¿Dónde la venden?

4. Una mujer está en la oficina de correos, quiere mandar un paquete.

A. – _____

B. – [a] Quiero ir en avión.

[b] ¿Cuánto cuesta el avión?

[c] Por avión, por favor.

5. Un chico le cuenta a otro los planes que tiene para el sábado por la tarde.

A. – _____

B. – [a] Nunca voy a clase los sábados por la tarde.

[b] He quedado con Teresa para ir al cine.

[c] Lo siento, no puedo.

6. En el autobús una señora le da al conductor un billete de cinco mil pesetas.

A. – _____

B. – [a] Se ha equivocado de sitio.

[b] ¿Por qué no cambia de sitio?

[c] Lo siento, pero no tengo cambio.

7. Dos amigos hablan de su horario de trabajo.

A. – _____

B. – [a] A las 8:30 en punto.

[b] De nueve a seis como casi todo el mundo.

[c] Todas las semanas un poco.

8. Una señora habla con su hija y ésta le responde de tres maneras.

A. – _____

B. – [a] ¿Ha salido el anuncio que hemos puesto?

[b] ¿Has visto un periódico?

[c] ¿Por qué no compras el periódico?

9. Dos compañeras de trabajo hablan al salir de la oficina.

A. – _____

B. – [a] Sí, he ido en coche.

[b] Lo siento, pero hoy no lo he traído.

[c] Sí, quiero ir en coche.

10. Una pareja sale a cenar.

A. – _____

B. – [a] En un restaurante libanés.

[b] La cena está servida.

[c] Jamón y un refresco.

PARTE NÚMERO 2

A continuación oirá siete textos breves. Debe oírlos dos veces. Para cada texto se le hará una pregunta. Elija la respuesta adecuada, fijándose en las imágenes de cada texto.

TEXTO 1

a

b

c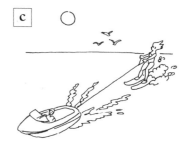

• 1. ¿Qué va a hacer el chico? •

TEXTO 2

a

b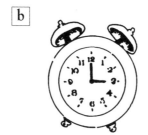

c

• 2. ¿A qué hora debe poner el reloj? •

TEXTO 3

a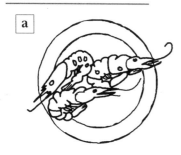

b

c

• 3. ¿Qué va a comer hoy José? •

TEXTO 4

a

b
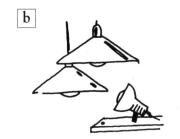

c

• 4. ¿Qué desea vender este anuncio? •

TEXTO 5

a

b
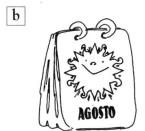

c

• 5. ¿En qué mes tiene vacaciones? •

TEXTO 6

a

b

c

• 6. ¿Dónde ha puesto las cosas? •

TEXTO 7

a

b

c

• 7. ¿Qué está buscando? •

PARTE NÚMERO 3

A continuación oirá por los altavoces del metro el siguiente mensaje. Debe oírlo dos veces. Después seleccione la respuesta correcta.

PREGUNTAS

1. Las personas que utilizan la línea 2 del metro:

    a *Pueden utilizarla sin ningún problema.*

    b *Deberán cambiar de tren en la estación de Quevedo.*

    c *Deben utilizar el autobús porque la línea 2 no funciona.*

2. La línea 2 del metro:

    a *Funcionará el mes que viene.*

    b *La están construyendo.*

    c *Está terminada.*

PARTE NÚMERO 4

A continuación oirá una conversación que tiene lugar en la recepción de una empresa. Debe oírla dos veces. Después, seleccione la respuesta correcta.

1. La señora Palacios:

    a *Trabaja en una conocida compañía aérea en el departamento de personal.*

    b *Es cliente del señor Gómez.*

    c *Ha ido a la empresa del Señor Gómez para presentarle la nueva propaganda que ofrece su agencia.*

2. El señor Gómez Pérez:

    a *Es el que firma los contratos.*

    b *Es el que vende los productos.*

    c *Es el representante de la empresa.*

Prueba 4: Conciencia comunicativa y metalingüística

PARTE NÚMERO 1

Marque con una X la situación en la que diría las siguientes frases.

1. - *Oiga, ¿cómo es que no está arreglado todavía?*
   - [a] Ud. ha dejado su coche en el taller y ya está listo.
   - [b] Le han dicho que su coche estará listo hoy, pero no es así.
   - [c] Le han prometido tener su coche listo la próxima semana.

2. - *Me encanta. Es una preciosidad. ¡Muchísimas gracias!*
   - [a] Está Ud. agradeciendo un regalo.
   - [b] Ud. ha comprado un regalo.
   - [c] Ud. ha cambiado un regalo.

3. - *Es que a mí me cae muy mal ese profesor.*
   - [a] El profesor le parece muy preparado.
   - [b] Ud. encuentra un poco tímido a su profesor.
   - [c] El profesor le parece antipático y desagradable.

4. - *¿La estación de autobuses, por favor?*
   - [a] Ud. no sabe quién trabaja en la estación.
   - [b] Ud. no sabe dónde está la estación.
   - [c] Ud. quiere saber el horario de venta de billetes.

5. - *¿Se puede poner Juan?*
   - [a] Ud. quiere ver a Juan.
   - [b] Ud. quiere hablar por teléfono con Juan.
   - [c] Ud. quiere poner a Juan en un lugar.

PARTE NÚMERO 2

En cada diálogo o frase hay una palabra en letra negrita que no es adecuada. Debe sustituirla por alguna de las palabras de la lista que aparece al final, marcando con una X en la casilla que corresponda.

1. Susana *estaba* en Londres, desde enero hasta mayo.

   A B C D E F G H I J

2. A. – A mí me gusta mucho el fútbol.
   B. – A mí, *tampoco*.

   A B C D E F G H I J

3. Estoy muy cansado. Creo que debo descansar *menos*.

   A B C D E F G H I J

4. Este verano *íbamos* una vez de excursión en bicicleta.

   A B C D E F G H I J

5. La hermana de mi madre es mi *sobrina*.

   A B C D E F G H I J

6. La conferencia *estará* en el Teatro de la Villa.

   A B C D E F G H I J

7. Tengo mucho trabajo. Necesito levantarme *tarde*.

   A B C D E F G H I J

8. A. – Le presento al Sr. Martínez.
   B. – Encantado de **saberlo**.

A B C D E F G H I J
☐ ☐ ☐ ☐ ☐ ☐ ☐ ☐ ☐ ☐

9. A. – ¿Sabes? He ganado un premio en el Concurso de Poesía.
   B. – Me alegro **bastante**.

A B C D E F G H I J
☐ ☐ ☐ ☐ ☐ ☐ ☐ ☐ ☐ ☐

10. A. – ¿Dónde **existe** una farmacia de guardia?
    B. – Pues no sé, hay que mirarlo en el periódico.

A B C D E F G H I J
☐ ☐ ☐ ☐ ☐ ☐ ☐ ☐ ☐ ☐

A) será	B) hemos ido	C) tía	D) estuvo	E) conocerlo
F) más	G) también	H) hay	I) mucho	J) temprano

• •

PARTE NÚMERO 3

Complete los huecos del texto siguiente con una de las tres opciones que se le proponen al final.

Dos amigos preparan una salida __1__ el fin de semana

Amigo 1: –¿ __2__ a la sierra? Creo que hay __3__ nieve y podremos esquiar.

Amigo 2: –Hombre, __4__ una idea estupenda, pero va a cambiar el tiempo.

Amigo 1: –Anda, no seas pesimista. __5__ , son las 12, la hora de las noticias. __6__ qué dicen del tiempo.

Amigo 2: – __7__ , pon la tele, en la primera.

Hombre del
tiempo: –"En Madrid __8__ cielos parcialmente nubosos. En la sierra, cielos nubosos, con __9__ chubasco débil ocasional, que __10__ de nieve en altitudes superiores a los 1.500 metros. __11__ vientos flojos del norte. Las temperaturas continuarán __12__ cambios. El domingo brillará el sol durante todo el día...."

Amigo 1: –¿Lo __13__ ? Será un buen fin de semana para esquiar.

Amigo 2: –Tienes razón. Vamos a preparar __14__ lo que necesitamos. Así podemos salir mañana temprano y aprovechar mejor el tiempo.

Amigo 1: –Venga, pues __15__ .

Certificado inicial de E.L.E.

OPCIONES

1.	a cuando	b para	c por
2.	a vamos	b íbamos	c hemos ido
3.	a nada	b poca	c bastante
4.	a está	b es	c hay
5.	a mira	b observa	c ve
6.	a haber	b a ver	c con ver
7.	a vale	b vengo	c voy
8.	a seremos	b tendremos	c están
9.	a algún	b numerosos	c muy
10.	a parecerá	b habrá	c será
11.	a soplarán	b caerán	c soplan
12.	a más	b sin	c sobre
13.	a observas	b ves	c piensas
14.	a todo	b cualquiera	c alguno
15.	a venimos	b vamos	c llegamos

Prueba 5: Expresión e interacción orales

PARTE NÚMERO 1

Entrevista con el examinador

Practique una entrevista contestando a preguntas sobre sus propios datos personales, sus actividades cotidianas, su tiempo libre, sus gustos y preferencias. Utilice como guía las siguientes preguntas.

1. ¿Qué hace usted después de trabajar?

2. ¿A qué hora se levanta usted durante la semana? ¿Le gusta madrugar? ¿Duerme usted más durante los fines de semana?

3. ¿Qué actividades diarias le gusta menos hacer? Por ejemplo, ¿le gusta a usted ir de compras?, ¿le gusta limpiar la casa?, ¿sabe cocinar?, ¿le gusta planchar?, ¿le gusta ir al banco?

4. ¿Le gusta ver la televisión? ¿Cree usted que hoy en día se ve demasiado la televisión? ¿Qué programas le gustan más?

5. ¿Cuánto tiempo ha estudiado usted español? ¿Dónde? ¿Ha vivido o visitado algún país de habla hispana? ¿Cuánto tiempo estuvo allí? Si nunca ha estado en un país de habla hispana, ¿qué país le gustaría visitar? ¿Por qué?

PARTE NÚMERO 2

Interacción comunicativa dirigida

Se le plantean unas situaciones comunicativas, en las que Ud. deberá decir frases adecuadas, simulando desempeñar los siguientes papeles.

1. **En una tienda de regalos:** quiere comprar un regalo para un amigo. Lo que le muestra el vendedor no le gusta mucho. Ud. lo prefiere con otras características. (Expresar gustos. Comparar.)

2. **En un bar:** le quieren cobrar mucho más de lo que Ud. cree que es lo correcto. (Protestar.)

3. **En la Secretaría de los Cursos de Español:** Ud. necesita toda la información sobre los cursos que ofrecen. (Pedir y dar información.)

4. **En la calle:** alguien le pregunta por la estación de metro. (Dar información.)

5. **En la calle:** Ud. se encuentra con un amigo que hace tiempo que no veía. (Saludar y expresar sentimientos.)

Certificado inicial de E.L.E.

PARTE NÚMERO 3

Expresión oral sobre un soporte gráfico

Observe con atención la situación que se le presenta a continuación.

1) Describa:

a) Los personajes, su aspecto físico, profesión posible, algún rasgo de su carácter, su estado de ánimo.
b) El lugar donde se encuentran.

2) Narre:

a) Qué ha pasado en cada viñeta.
b) Imagine cómo termina la historia.

3) Hable de Ud. mismo en una situación semejante:

a) ¿Le ha ocurrido esto alguna vez?
b) ¿Tiene las mismas costumbres que estos personajes?

Notas

El entorno familiar

Prueba 1: Interpretación de textos escritos

PARTE NÚMERO 1

Lea con atención el siguiente texto. A continuación encontrará tres preguntas. Indique si son verdaderas (V) o falsas (F) de acuerdo con el contenido leído.

La familia Sánchez Vicario

Emilio, Javier y Arantxa Sánchez Vicario, junto a sus padres, constituyen una de las familias españolas más conocidas. Los tres hijos han conseguido grandes triunfos en el tenis. Arantxa es la menor y la más famosa. Tiene fuerza, seguridad en sí misma, cabeza, coraje, espíritu de sacrificio y esa obsesión por su carrera que distingue a los grandes deportistas. Cuando tenía trece años se propuso ser la *número uno* del mundo, y desde entonces nunca ha parado.

No existe ninguna rivalidad entre mis hermanos y yo -suele decir. *Al revés, ellos me han dicho que soy la más dotada de la familia y para mí es un orgullo que piensen eso.*

Arantxa tiene detrás unos padres obsesionados por su triunfo y absolutamente dedicados a su carrera. Marisa, su madre, sigue a su hija por todo el mundo y se pasa la vida animándola.

(Adaptado de MAGAZINE. EL MUNDO. 12-6-94)

PREGUNTAS   V.   F.

1. Según el texto, los miembros de la familia Sánchez Vicario son campeones de diferentes deportes.   ☐   ☐

2. Los hermanos de Arantxa se sienten incómodos ante los triunfos de la hermana.   ☐   ☐

3. Esta tenista se siente muy protegida y estimulada por sus padres.   ☐   ☐

PARTE NÚMERO 2

A continuación le presentamos una serie de textos escritos. Léalos con atención y elija la respuesta adecuada.

•TEXTO 1

Abuela:

Voy a la universidad y llegaré un poco tarde. Llama a tío Pedro para que vaya a la estación de Chamartín a recoger a papá y mamá, a las 19:15 h. No olvides tu medicina. Un beso.

Gabriel

Según la nota, Gabriel:
a. Va a recoger a sus padres a la estación.
b. No puede ir a recoger a sus padres.
c. Va a llamar a tío Pedro para ir a la estación.

• TEXTO 2

LA TERCERA EDAD

Cada vez hay más ancianos que viven
solos porque no tienen hijos o porque
sus hijos no pueden atenderlos o no tienen
lugar en sus casas para ellos.

Según el texto, muchos ancianos:

    [a] *Viven solos porque son independientes.*

    [b] *No quieren vivir solos.*

    [c] *No tienen con quién vivir.*

• TEXTO 3

LA NORIA
Los niños menores de 10 años no pueden montar solos.

Deben estar acompañados por una persona mayor.

Este anuncio de la feria indica que:

    [a] *Puede entrar María, que tiene 5 años y va con su prima de 9.*

    [b] *Puede entrar Ramón, de 9 años, que va con su abuelo.*

    [c] *No puede entrar Lucía, que tiene 7 años, y va con su padre.*

• TEXTO 4

INVITACIÓN DE BODA

Luis González, Lidia Jiménez y Mª. Luisa Rodríguez Vda. de Fernández
tienen el agrado de invitarles a la boda de sus hijos:

María del Mar y Juan José

Que tendrá lugar en la Parroquia de Santa Rita, el domingo 8 de mayo, a las 18.30 h.
A continuación se servirá una cena en el Hotel Mindanao, próximo a la iglesia.

Los que envían esta invitación son:

    [a] *Los suegros de Juan José*

    [b] *Los padrinos de María del Mar y de Juan José*

    [c] *Los padres de María del Mar y de Juan José*

•TEXTO 5

SALONES "EL CISNE"

FIESTAS FAMILIARES

*Le ofrecemos el mejor servicio para
Bodas, Bautizos, Primeras Comuniones*

Este anuncio ofrece:

a *Organizar la ceremonia religiosa.*

b *Servir una buena comida.*

c *Alquilar un coche para la celebración.*

•TEXTO 6

GUARDERÍAS INFANTILES

Muchas madres trabajan fuera de casa y tienen problemas para encontrar quién cuide de sus hijos durante ese tiempo. Para solucionar este problema existen guarderías que se hacen cargo de los niños, desde muy pequeños, con un horario amplio y flexible.

Según el texto, las guarderías:

a *Cuidan niños pequeños sólo por las mañanas.*

b *Resuelven el problema de las madres que trabajan.*

c *Admiten niños a partir del año.*

•TEXTO 7

RELACIONES FAMILIARES

Luis Moreno está casado con Inés Morales, hija de Soledad y Benjamín. Luis habla muy bien de sus suegros y ellos están contentos con el yerno.

¿Qué parentesco tiene Luis con Soledad?:

a *Es su hijo.*

b *Es su suegro.*

c *Es su yerno.*

• •

PARTE NÚMERO 3

1. Lea el siguiente texto y responda luego a las preguntas referidas al mismo, marcando la opción correcta.

Crónica de sociedad

Enlaces

Carmen Bermúdez y Antonio Romero contrajeron matrimonio en la Catedral, el sábado a las 18:00 h. Los padrinos fueron la madre del novio y el padre de la novia. La ceremonia contó con la asistencia de numerosos familiares y amigos. La fiesta se realizó en los salones de un céntrico hotel.

Berta Linares y Manuel Luque contrajeron matrimonio civil el pasado viernes a las 13:00 h. Celebraron el acontecimiento junto a sus padrinos, los testigos y un reducido grupo de amigos en un restaurante próximo.

Bautizos

El alcalde de Santa Clara y su mujer celebraron el bautizo del segundo de sus hijos, José Pedro, en la iglesia local y luego ofrecieron un brindis a todos los vecinos.

Bodas de oro

Don Manuel Alcázar y doña Asunta Cárdenas celebraron sus cincuenta años de matrimonio, rodeados de sus hijos y nietos, primos y sobrinos. Para ello, asistieron a una misa en la iglesia del pueblo e invitaron a todos a un almuerzo.

Primeras Comuniones

El sábado por la mañana, los niños de 4º curso del Colegio María Inmaculada tomaron la Primera Comunión. Todos iban vestidos de blanco, acompañados de sus padres y demás familiares. Después de la ceremonia religiosa se sirvió chocolate con churros en el colegio.

---

1. ¿En cuál de estos acontecimientos sociales no se sirvió nada de comida ni de bebida?:

      a *En la boda civil*

      b *En el bautismo*

      c *En ninguno*

2. Las bodas de oro se celebran:

      a *Cuando llevan cincuenta años casados.*

      b *Cuando tienen más de cincuenta años.*

      c *Cuando no han cumplido los cincuenta años.*

3. Una de estas celebraciones no se realizó en una iglesia, ¿cuál fue?:

       a *La Primera Comunión*

       b *La boda de Carmen y Antonio*

       c *La boda de Berta y Manuel*

4. En uno de estos acontecimientos, uno de los protagonistas fue la primera autoridad del pueblo, ¿en cuál de ellos?:

       a *La boda*

       b *El bautizo*

       c *Las bodas de oro*

5. ¿En qué ceremonia estaban todos los protagonistas vestidos del mismo color?

       a *En la boda de Carmen y Antonio*

       b *En la Primera Comunión*

       c *En el bautizo*

2. Lea el siguiente texto y responda luego a las preguntas referidas al mismo, marcando la opción correcta.

Elegir una nueva casa

La familia ha aumentado y la casa se ha quedado pequeña. Ha nacido un nuevo hermano y, además, los abuelos están un poco viejos. Por esto, todos han decidido que lo mejor es vivir juntos en una casa más grande. Prefieren una casa con jardín, en un sitio tranquilo y agradable, pero no muy solitario.

Ahora miran los anuncios de los periódicos para encontrar algo bueno y no muy caro:

Chalé, a 30 Km. de Madrid, carretera de Valencia. 200 m² construidos, con gran parcela ajardinada. Perfecto estado. Muy buen precio. MI CASA. Tfno. 2311456.

Casa de pueblo, a 5 minutos de Madrid. Se alquila o se vende. Cuatro dormitorios, baño y cocina. Pequeño jardín interior. Muy buen precio. Llamar por la tarde. Tfno. 3376543.

Se vende chalé, cinco habitaciones, tres baños, dos garajes. Sin intermediarios. A 15 minutos de Madrid. Carretera de La Coruña. Tfno. 1288345

Urgente. Vendo o alquilo piso de 300 m², siete habitaciones, tres baños y servicio. Edificio remodelado y restaurado. Excelente ubicación. Metro Alonso Martínez. Particular. Tfno. 5098655.

---

1. Según estos anuncios, cuál de estas viviendas es la más grande:

       a *La casa de pueblo*

       b *El piso de Alonso Martínez*

       c *El chalé de la carretera de La Coruña*

2. ¿Cuál es la casa que se encuentra más lejos del centro de Madrid?:

       a *El piso de Alonso Martínez*

       b *El chalé de la carretera de Valencia*

       c *La casa de pueblo*

3. Se ofrece una vivienda en un edificio antiguo, pero en perfectas condiciones, ¿cuál es?:

      a] *El chalé de la carretera de Valencia*

      b] *El chalé de la carretera de La Coruña*

      c] *El piso de Alonso Martínez*

4. Una de las viviendas resulta atractiva porque tiene una amplia zona verde, ¿cuál es?:

      a] *La casa de pueblo*

      b] *El chalé de la carretera de Valencia*

      c] *El piso de Alonso Martínez*

5. Una de estas casas se vende por medio de una agencia inmobiliaria:

      a] *El piso de Alonso Martínez*

      b] *El chalé de la carretera de La Coruña*

      c] *El chalé de la carretera de Valencia*

Certificado inicial de E.L.E.

Prueba 2: Producción de textos escritos

PARTE NÚMERO 1

Rellene el siguiente formulario con todos los datos de su familia.

DATOS DEL CABEZA DE FAMILIA:
Apellidos: ....
Nombre: ....
Edad: ....
Estado civil: ....
Nacionalidad: ....
Domicilio familiar: ....
Profesión: ....
Lugar de trabajo: ....

DATOS DEL CÓNYUGE:
Apellidos: ....
Nombre: ....
Edad: ....
Estado civil: ....
Nacionalidad: ....
Profesión: ....
Lugar de trabajo: ....

DATOS DE LOS HIJOS/AS:
Número de hijos/as: ....
Nombre de los/las hijos/as: ....
Edad de los/las hijos/as: ....
Profesión de los/las hijos/as: ....

OTROS MIEMBROS de la familia que viven en la misma casa: ...
....
MIEMBROS QUE TRABAJAN fuera del hogar: ....
....
PERSONAS QUE CONVIVEN en el domicilio familiar: ....

PARTE NÚMERO 2

Escriba una carta a una familia española que usted conoce con la intención de pedirle ayuda para que le busquen un colegio para un primo suyo de quince años.

Querida familia López:
Me acuerdo mucho de los días que pasé en su casa. Ahora les escribo para _____
_____
_____
_____
_____
_____
_____
_____ .

Espero su carta pronto. Muchas gracias. Un saludo especial para la abuela. Un abrazo a todos.

Prueba 3: Interpretación de textos orales

● ●

PARTE NÚMERO 1

A continuación oirá diez diálogos breves. Una persona habla con otra, y ésta última responde de tres maneras diferentes. Únicamente una de las tres respuestas es adecuada. Debe oír cada diálogo dos veces.

1. Una chica habla con una amiga, están mirando una fotografía.

A. – —————

B. – a *Es el hijo de mi tío Pedro.*

   b *Está en la oficina de correos.*

   c *No está, no ha llegado todavía.*

2. Una señora habla con su esposo.

A. – —————

B. – a *Un dolor de cabeza terrible.*

   b *Las entradas para el concierto del domingo.*

   c *¿Qué te parece si vamos en autocar?*

3. Dos señores hablan al salir de la oficina.

A. – —————

B. – a *Mi hijo es dentista.*

   b *Voy a llevar a mi hijo al dentista.*

   c *No, no voy al dentista.*

4. Un padre habla con su hijo.

A. – —————

B. – a *Hay pollo en la nevera, papá.*

   b *No me han dado las notas todavía.*

   c *A estudiar a casa de Manolo, como siempre.*

5. Dos hermanos hablan en su habitación.

A. – —————

B. – a *No, hoy no tengo ganas de hacer deporte.*

   b *Cógela, está en el armario.*

   c *No, no la conozco, ¿quién es?*

6. Una señora habla con su hija.

A. – —————

B. – a *¿Dónde está Juan?*

   b *¿Qué me has comprado?*

   c *¿Y qué te ha dicho?*

7. Una señora habla con su marido al llegar a casa.

A. – —————

B. – a *Fui a comprar el periódico.*

   b *Estoy en la cocina, adivina quién está aquí.*

   c *No he ido al gimnasio, estoy muy cansado.*

8. Una señora habla con su hijo.

A. – —————

B. – a *Estupendo, a mí me encantan los helados.*

   b *Estupendo, ¿cuándo quedamos?*

   c *Estupendo, los voy a llevar al cine.*

9. Unos compañeros hablan.

A. – —————

B. – a *Sí, hoy he ido a ver a un mecánico.*

   b *¡Qué bien! ¿Crees que me ayudará a arreglar mi coche?*

   c *No, lo siento, mi coche está en el garaje.*

10. Una hija habla con su madre.

A. – —————

B. – a *Pues cómprate unos zapatos nuevos.*

   b *Pues yo no necesito nada.*

   c *Pues tendremos que avisar al técnico.*

PARTE NÚMERO 2

A continuación oirá siete textos breves. Debe oírlos dos veces. Para cada texto se le hará una pregunta. Elija la respuesta adecuada, fijándose en las imágenes de cada texto.

TEXTO 1

 a

b

c

• 1. *¿De qué miembro de la familia está hablando?* •

TEXTO 2

 a

b

c

• 2. *¿Qué animal tiene la familia de Juan?* •

TEXTO 3

 a

b

c

• 3. *¿A qué hora cena la familia de Peter?* •

TEXTO 4

a HOY

b MAÑANA

c PASADO MAÑANA

• 4. ¿Cuándo tiene David el próximo examen? •

TEXTO 5

a

b

c

• 5. ¿A dónde van a ir este fin de semana? •

TEXTO 6

a

b

c

• 6. ¿Quién es tío Eduardo? •

TEXTO 7

a

b

c

• 7. ¿Cuál es la familia de Daniel? •

Certificado inicial de E.L.E.

PARTE NÚMERO 3

A continuación oirá un mensaje en un contestador automático. Debe oírlo dos veces. Después seleccione la respuesta correcta.

PREGUNTAS

1. El mensaje del contestador automático pertenece:

      [a] *A una familia*

      [b] *A una empresa multinacional*

      [c] *A la consulta de un médico*

2. El doctor Sánchez recibe a sus pacientes:

      [a] *De 11 a 1 y de 4 a 7*

      [b] *De 5 a 8*

      [c] *Mañana y tarde*

3. El número 456 24 22 se debe utilizar únicamente:

      [a] *Para casos graves*

      [b] *Para pedir hora*

      [c] *Para llamar a su consulta*

PARTE NÚMERO 4

A continuación oirá la conversación de una familia. Debe oírla dos veces. Después seleccione la respuesta correcta.

PREGUNTAS

1. ¿Qué está haciendo Carlos?

      [a] *Hablando con su madre de sus dificultades con el inglés.*

      [b] *Pidiendo a su madre ayuda con sus ejercicios de matemáticas.*

      [c] *Intentando resolver los problemas de matemáticas.*

2. ¿Qué le sugiere su madre?

      [a] *Comprar un libro de matemáticas.*

      [b] *Pedir ayuda a su padre.*

      [c] *Ayudar a su hermano con los problemas de matemáticas.*

3. ¿Cuáles son los planes de Carlos?

      [a] *Estudiar para el examen con su padre e ir de excursión con unos amigos.*

      [b] *No estudiar para el examen.*

      [c] *Ir con su padre y con sus amigos de excursión.*

Prueba 4: Conciencia comunicativa y metalingüística

PARTE NÚMERO 1

¿En qué situación diría usted las siguiente frases? Marque con una X la respuesta adecuada.

1. - *Elena, ¿qué hay de postre?*
   - a Usted está en una tienda.
   - b Usted está comprando un helado.
   - c Usted está comiendo.

2. - *Carlos, no es bueno que salgas tanto durante la semana.*
   - a Usted cree que Carlos sale demasiado entre semana.
   - b Usted piensa que está bien que Carlos salga mucho.
   - c Usted está de acuerdo con las salidas de Carlos.

3. - *Papá, ¿me puedes echar una mano con las matemáticas?*
   - a Usted le pide ayuda a su padre.
   - b Usted quiere ayudar a su padre.
   - c Usted se niega a recibir la ayuda de su padre.

4. - *Oye mamá, ¿te importa si María se queda a dormir esta noche?*
   - a Usted va a quedarse a dormir en casa de María.
   - b Usted pide permiso a su madre para que María pase la noche en su casa.
   - c Usted quiere que María se vaya a su casa.

5. - *Marcos, ¿me prestas el coche esta noche?*
   - a Usted quiere que Marcos le deje su coche.
   - b Usted quiere dejar su coche a Marcos.
   - c Usted quiere prestar el coche de Marcos a otra persona.

PARTE NÚMERO 2

A continuación tiene usted 10 frases. En cada frase hay una palabra en letra negrita que no es adecuada. Debe usted sustituirla por alguna de las palabras de la lista que aparece al final.

1. Dicen qué **está** bueno tener animales en casa, sobre todo para los niños.
A B C D E F G H I J

2. La abuela nos ha **preguntado** que no hagamos ruido.
A B C D E F G H I J

3. En casa cenamos después de **comer** el telediario.
A B C D E F G H I J

4. La reunión del colegio es para todos los padres de **solteros**.
A B C D E F G H I J

5. Las navidades pasadas **íbamos** a ver a mi hermana y conocimos a su niño.
A B C D E F G H I J

6. A. – ¿Cuál es su **profesión**?
   B. – Calle Arenal nº 3.
A B C D E F G H I J

Certificado inicial de E.L.E.

7. A. – Si vas **despierto**, se te ensuciarán los pies.
   B. – Es que no sé dónde están mis zapatillas.

A B C D E F G H I J
☐ ☐ ☐ ☐ ☐ ☐ ☐ ☐ ☐ ☐

8. A. – María, ¿has **mirado** las llaves del coche? Es que no las
   encuentro por ninguna parte.
   B. – No, lo siento.

A B C D E F G H I J
☐ ☐ ☐ ☐ ☐ ☐ ☐ ☐ ☐ ☐

9. No, señora, los niños de dos años no **cuestan** en los autobuses.

A B C D E F G H I J
☐ ☐ ☐ ☐ ☐ ☐ ☐ ☐ ☐ ☐

10. A. – No sé qué voy a hacer con los niños este verano.
    B. – Los míos van a **pasear** en un campamento de verano,
    si quieres te doy información.
    A. – Pues sí, mira, puede ser una buena solución.

A B C D E F G H I J
☐ ☐ ☐ ☐ ☐ ☐ ☐ ☐ ☐ ☐

| A)*es* | B)*ver* | C)*fuimos* | D)*familia* | E)*estar* |
| F)*pedido* | G)*visto* | H)*dirección* | I)*pagan* | J)*descalzo* |

● ●

PARTE NÚMERO 3

Complete los huecos del texto siguiente con una de las tres opciones que se le proponen al final del ejercicio.

LA FAMILIA Y EL TRABAJO

Hoy en día trabajar ocho horas al día y tener una familia no es fácil. Muchas mujeres creen que es importante tener un trabajo, __1__ que también es importante pasar más tiempo __2__ la familia, sobre todo con los niños. Los psicólogos __3__ a los padres con niños problemáticos estar __4__ tiempo con sus hijos, ayudarles en la tarea escolar y ocuparse un poco de sus cosas. Es decir, los padres __5__ saber qué hacen en la escuela, __6__ amigos tienen, qué deporte les __7__ o si se __8__ bien o mal entre sus compañeros de clase. Por __9__ parte, el mundo del trabajo es cada vez más competitivo y __10__ personas tienen que hacer horas extraordinarias __11__ el trabajo para poder ganar más dinero o para progresar en su carrera. Muchas madres no quieren dejar a sus hijos en las guarderías, pero tampoco pueden pagar a una persona para estar en casa con sus hijos. Antes muchas mujeres se __12__ en casa cuidando a sus hijos, pero eso en los 90 __13__ totalmente. Lo que antes __14__ normal, ahora __15__ no lo es.

OPCIONES

1.	a o	b en	c pero
2.	a dentro	b con	c hasta
3.	a recomiendan	b dan	c reparten
4.	a muy	b más	c muchos
5.	a deberían	b tienen	c hay
6.	a cuál	b cuando	c cuántos
7.	a gustan	b gusta	c gustas
8.	a sientan	b sienten	c siento
9.	a alguna	b ninguna	c otra
10.	a muchas	b una	c todas
11.	a a	b de	c en
12.	a quedaron	b quedaban	c han quedado
13.	a cambiaba	b ha cambiado	c cambio
14.	a es	b será	c era
15.	a ya	b aún	c todavía

Prueba 5: Expresión e interacción orales

PARTE NÚMERO 1

Entrevista con el examinador

Practique una entrevista contestando a preguntas sobre sus propios datos personales, sus actividades cotidianas, su tiempo libre, sus gustos y preferencias. Utilice como guía las siguientes preguntas.

1. ¿Cómo es su familia? ¿Es grande o pequeña? ¿Cuántos miembros hay? ¿Dónde vive la mayoría de ellos?

2. ¿Cómo son las Navidades en su país? Si no celebra la Navidad, ¿puede explicar la fiesta más importante que se celebra en su país?

3. ¿Qué es para usted un fin de semana "perfecto"?

4. ¿Qué tipo de alimentos o platos típicos se come en su país? ¿Puede explicarnos el plato típico que a usted le gusta más?

PARTE NÚMERO 2

Interacción comunicativa dirigida

Se le plantean unas situaciones comunicativas, en las que Ud. deberá decir frases adecuadas, simulando desempeñar los siguientes papeles.

1. Usted está en la oficina de correos y quiere enviar un paquete a su familia. Usted quiere enviar el paquete urgente.

2. Usted está en una farmacia y quiere comprar algo para el dolor de muelas.

3. Usted está en la calle y ha olvidado en casa la dirección de un lugar al que tenía que ir. Llame a alguien para que le dé el número de teléfono de ese lugar o la dirección exacta.

4. Usted está en un restaurante. Elija el menú que quiere comer.

5. Usted está en la secretaría de cursos de español y quiere tener más información sobre los cursos.

PARTE NÚMERO 3

Expresión oral sobre un soporte gráfico.

Observe con atención las dos situaciones que se le presentan a continuación.

1) Describa:

   a) Qué personajes hay en las viñetas, cómo son, qué están
      haciendo, cómo se sienten.
   b) ¿En qué lugar se encuentran?

2) Narre:

   a) Qué ha pasado en cada viñeta.
   b) Qué ocurre al final.

Certificado inicial de E.L.E.

Campo y ciudad

Prueba 1: Interpretación de textos escritos

PARTE NÚMERO 1

Lea con atención el siguiente texto. A continuación encontrará tres preguntas. Indique si son verdaderas (V) o falsas (F) de acuerdo con el contenido del artículo leído.

EL DIFÍCIL CAMINO HACIA LAS ECOCIUDADES

Las ciudades están ahí y casi todos vivimos en alguna. Por muchos problemas que causen, hay que contar con ellas. Más del 80% de la población de la Unión Europea vive en núcleos urbanos. Volver al campo no es una solución global. La respuesta puede estar en la dirección contraria: convertir los núcleos urbanos en una nueva síntesis entre urbe y naturaleza. Hace una década, las ciudades tenían poco que ofrecer a las generaciones más inquietas. Hoy las cosas están cambiando. Existe todo un movimiento que trata de sacarle el máximo partido ecológico al espacio: ahorrar energía, ajardinar terrenos conquistados a los edificios y calles y recuperar el placer de pasear por zonas cerradas al motor.

(Adaptado de *INTEGRAL*. Junio 1994)

<u>PREGUNTAS</u>   V.   F.

1. *Según el texto, la solución al problema de las ciudades es hacerlas más ecológicas y con más espacios verdes.*   ☐ ☐

2. *La mayoría de las personas de Europa vive en pueblos pequeños.*   ☐ ☐

3. *El movimiento ecológico propone mejorar la calidad de los coches.*   ☐ ☐

PARTE NÚMERO 2

Le presentamos una serie de textos breves. Léalos con atención y señale la respuesta correcta.

•TEXTO 1

LA AGRICULTURA Y LOS CONSUMIDORES

Una cooperativa de agricultores de Barcelona ofrece un servicio de reparto a domicilio de frutas y hortalizas frescas y ecológicas. Sus productos no contienen sustancias químicas. Son de una excelente calidad nutritiva.

Los agricultores de esta cooperativa:

    a *Usan fertilizantes para abonar la tierra.*

    b *Venden sus productos directamente al consumidor.*

    c *Recurren a la manipulación genética.*

• TEXTO 2

PUEBLOS DESHABITADOS

La falta de ayudas económicas a la agricultura y a la ganadería tradicionales ha producido grandes migraciones a las ciudades, en busca de trabajo. En España, existen cientos de pequeños pueblos abandonados, o habitados por muy pocos vecinos, la mayoría mayores.

Según el texto, los jóvenes abandonan el campo porque:

a No tienen posibilidades de trabajo remunerado.

b Se aburren mucho.

c El trabajo es demasiado duro para ellos.

• TEXTO 3

ELIJA OTRAS VACACIONES

DISFRUTE DEL AIRE PURO
Y DE LA TRANQUILIDAD DE LA SIERRA

¿QUIERE PASAR UN VERANO DIFERENTE?
Casas rurales y granjas
Precios increíbles

En este anuncio se ofrece:

a Disfrutar de unas vacaciones muy movidas.

b Alquilar una casa de campo.

c Dedicarse a la agricultura.

• TEXTO 4

MADRID SE QUEDA VACÍO

COMO TODOS LOS PRIMEROS DE JULIO, GRAN ATASCO EN LA CARRETERA. EL 1 DE AGOSTO, OTRO TANTO.

Según este titular de periódico:

a Miles de madrileños salen de la ciudad para pasar sus vacaciones.

b Los madrileños no pueden salir de la ciudad porque las autovías están cortadas.

c Miles de madrileños han resuelto no salir de vacaciones en coche.

•TEXTO 5

Ramón llega esta noche.
No prepares cena. Como ya está harto de
tanto campo, seguro que quiere disfrutar
de la noche madrileña.
¡Hasta luego!

Pepe

En esta nota Pepe le dice a su mujer que:

[a] *No se olvide de preparar la cena.*

[b] *Saldrán a cenar fuera.*

[c] *Ramón querrá acostarse pronto.*

•TEXTO 6

VILLARROBLEDO

LOS VECINOS DEL PUEBLO PROTESTAN POR LA FALTA DE AGUA Y POR LA INVASIÓN DE VISITANTES.

Según esta noticia:

[a] *Los habitantes del pueblo están contentos con los turistas.*

[b] *El pueblo se ha quedado sin agua y sin gente.*

[c] *En vacaciones, el pueblo se llena de gente.*

•TEXTO 7

¡DESCONECTA!

Cógete una mochila y unas buenas zapatillas. Nosotros te garantizamos dormir como un bebé, comer sano y curtirte la piel. ¡Anímate! Teléfono: 2345600.

Este anuncio promete:

[a] *Unas vacaciones con la familia, incluidos niños pequeños.*

[b] *Unas vacaciones al aire libre, en un ambiente natural y relajante.*

[c] *Recorrer varias ciudades vestido cómodamente.*

PARTE NÚMERO 3

Lea con atención las siguientes ofertas para pasar las vacaciones y responda a las preguntas marcando la opción correcta.

ALGO ESPECIAL, ALGO DIFERENTE

LISBOA (Portugal): ciudad llena de rincones secretos, con la puerta abierta al Atlántico. Es tranquila y pacífica. La cuna de la música más melancólica, el fado. Clima benigno. Cosmopolita y multirracial. Grandes espacios de encuentros, como las tradicionales plazas del Rosario y de la Figueira.

VALDESOTOS (Guadalajara): atractivo paisaje serrano. Recorridos en bicicleta y a caballo. Participación en tareas agrícolas y en la transformación de productos naturales. Trabajos artesanales. Clima ideal, seco, fresco por las noches.

SIERRA NORTE DE MADRID: conocida como la sierra pobre. Conserva el silencio y la tranquilidad de los pequeños pueblos, aislados y solitarios. El senderismo le permite largos recorridos, solo, con su perro o con sus amigos.

EL BIERZO (León): esto es algo diferente y único. La naturaleza ofrece un relieve peculiar debido a las antiguas explotaciones mineras, de oro, particularmente. Entre lagos y pantanos encontrará bosques de castaños y tierras de extrañas formas y colores. Atractiva oferta de comida regional, por su precio y su calidad.

MADRID: ciudad abierta a todos sus visitantes. Ruidosa. Nocturna. Grandes colecciones de obras de arte de todos los tiempos en sus diferentes museos. Nadie le gana en bares y restaurantes. Variada cartelera de cines, teatros y espectáculos.

SIERRA DE GRAZALEMA (Cádiz): bosques de abetos y flores. Montañas y ríos. Plácida tranquilidad. Encontrará algunos de los típicos pueblos blancos de Andalucía. Si le interesa la artesanía del cuero, no deje de visitar Ubrique.

TENERIFE (Canarias): viajar a una isla es siempre una tentación, y si tiene un volcán como el Teide, mucho más. El mismo día puede casi tocar las nubes y bañarse en el océano con unas espléndidas playas. Y si además le gustan la pesca, los deportes náuticos y un ambiente cosmopolita, ya sabe adónde puede ir.

---

1. Está buscando un lugar que le permita hacer buenos recorridos en bicicleta, su gran afición. Le conviene elegir:

        a *Tenerife*

        b *La Sierra Norte de Madrid*

        c *Valdesotos*

2. Está aburrido de la vida rural y busca nuevas emociones culturales y sociales. Lo mejor es:

        a *Pasar un tiempo en Madrid.*

        b *Alquilar una casa en la Sierra Norte de Madrid.*

        c *Hacer un recorrido por el Bierzo.*

3. Le gustaría estar junto al mar y aprovechar las noches para escuchar música tranquila y romántica. Para esto prefiere:

        a *Tenerife*

        b *Lisboa*

        c *Valdesotos*

4. A usted le interesan los efectos que la actividad del hombre produce en la naturaleza. Para usted y sus amigos geólogos, el lugar más indicado es:

      a. *La Sierra Norte de Madrid*

      b. *El Bierzo*

      c. *Madrid*

5. Se siente atraído por el mar y la montaña. Es un buen escalador y un buen submarinista. El lugar que le ofrece estas posibilidades se encuentra:

      a. *En las Islas Canarias*

      b. *En la provincia de León*

      c. *En Portugal*

6. Su afición favorita es hacer largas caminatas, en silencio y a su aire. Está cansado del ruido y del coche. Ya no puede soportar tanto estrés y movimiento. Lo mejor será elegir:

      a. *Lisboa*

      b. *La Sierra Norte de Madrid*

      c. *Tenerife*

7. Después de estar tanto tiempo dentro de una oficina, le apetece hacer trabajos manuales y cultivar la tierra. Le conviene:

      a. *Pasar sus vacaciones en Valdesotos.*

      b. *Hacer un viaje a Lisboa.*

      c. *Visitar Ubrique.*

8. Como le encantan la luz del sol y los contrastes del blanco de las paredes con el verde de los árboles, ha decidido ir a:

      a. *El Bierzo*

      b. *Lisboa*

      c. *La Sierra de Grazalema*

9. Es usted un amante de la pintura y de la música. Para disfrutar de ellas le conviene pasar unos días:

      a. *En Valdesotos*

      b. *En Madrid*

      c. *En el Bierzo*

10. Quiere estar en contacto con gente de diferentes países y lenguas, divertirse por las noches y tomar el sol en la playa. Lo mejor será que elija para sus vacaciones:

      a. *Madrid*

      b. *Tenerife*

      c. *La sierra de Grazalema*

Prueba 2: Producción de textos escritos

PARTE NÚMERO 1

INFORMACIÓN PARA INTERCAMBIOS

Complete este cuestionario con todos los datos de su ciudad / pueblo, con el objeto de incluirlo en la información que se proporciona a los interesados en hacer intercambios.

```
País: ..............................................................
Ciudad/Pueblo: ..............................................
..........................................................................
Provincia/Región: ...........................................
Número de habitantes: ....................................
Extensión aproximada: ...................................
Monumentos históricos: ..................................
..........................................................................
Oferta cultural: ...............................................
..........................................................................
Gastronomía: ..................................................
..........................................................................
Fiestas populares: ............................................
..........................................................................
Características geográficas: ..............................
..........................................................................
Principales fuentes de trabajo: ........................
..........................................................................
Medios de acceso al lugar: ..............................
Otros datos de interés: ....................................
..........................................................................
..........................................................................
```

Le sugerimos que haga otra ficha semejante con las características del lugar que usted considera ideal para pasar una temporada o para vivir.

PARTE NÚMERO 2

Escriba una carta (150 palabras aproximadamente) a un amigo español que ha conocido, describiéndole el lugar donde vive. Le sugerimos un final.

....

.....................:
....
....
....
....
....
....

Espero verte pronto, aquí en mi casa.
Un abrazo

....

42

Prueba 3: Interpretación de textos orales
• •
PARTE NÚMERO 1

A continuación oirá diez diálogos breves. Una persona habla con otra, y esta última responde de tres maneras diferentes. Únicamente una de las tres respuestas es adecuada. Debe oír cada diálogo dos veces.

1. Dos chicas hablan.

A. – ⎯⎯⎯⎯⎯

B. – ⎡a⎤ No, hoy ya estoy bien, gracias.

⎡b⎤ No, a mí la montaña no me va mucho, soy muy de ciudad.

⎡c⎤ Por supuesto, iré mañana por primera vez.

2. Dos chicos hablan.

A. – ⎯⎯⎯⎯⎯

B. – ⎡a⎤ ¿Sí? ¿Cómo es?

⎡b⎤ ¿De verdad? ¿Cuánto hay?

⎡c⎤ ¿Me lo prometes? ¿Quién?

3. Unos señores hablan.

A. – ⎯⎯⎯⎯⎯

B. – ⎡a⎤ Sí, hace un tiempo magnífico.

⎡b⎤ No, siempre voy a pie.

⎡c⎤ Más o menos, unas 2 horas en autocar.

4. Dos señoras hablan.

A. – ⎯⎯⎯⎯⎯

B. – ⎡a⎤ Mujer, pero si sólo vivimos a veinte minutos en coche.

⎡b⎤ ¿Dígame? No se preocupe, Carmen.

⎡c⎤ Ya ves, a nosotros nos encanta vivir en el centro de la ciudad.

5. Dos amigos hablan.

A. – ⎯⎯⎯⎯⎯

B. – ⎡a⎤ Sí, pero también tiene menos ventajas.

⎡b⎤ Sí, mi pueblo también se llama así.

⎡c⎤ Sí, naturalmente que es más caro.

6. Unos jóvenes hablan, están de viaje.

A. – ⎯⎯⎯⎯⎯

B. – ⎡a⎤ Cuando llueva más que aquí.

⎡b⎤ Cuando lleguemos a la costa.

⎡c⎤ Cuando teníamos tiempo.

7. Unas chicas hablan.

A. – ⎯⎯⎯⎯⎯

B. – ⎡a⎤ Me encantaría ir otra vez al río, es tan bonito.

⎡b⎤ Bueno, yo ya he estado más de una vez allí.

⎡c⎤ Es que aquí hace demasiado calor.

8. Una señora habla con un señor.

A. – ⎯⎯⎯⎯⎯

B. – ⎡a⎤ Que mañana, si llueve, no podemos salir.

⎡b⎤ Que mañana venderá lo que ha hecho en este tiempo.

⎡c⎤ Que mañana no lloverá. Así que podemos ir de excursión.

9. Un chico habla con su madre.

A. – ⎯⎯⎯⎯⎯

B. – ⎡a⎤ No, nunca he estado en una granja.

⎡b⎤ En una granja hay que trabajar un montón, ¿estás dispuesto?

⎡c⎤ Pues en la granja no hay vacas.

10. Dos amigos hablan.

A. – ⎯⎯⎯⎯⎯

B. – ⎡a⎤ Llueve mucho, sí, pero eso es muy bueno para la tierra.

⎡b⎤ No lo sé, lo siento, yo no soy de aquí.

⎡c⎤ Es mucho mejor que ir a montar a caballo, al menos es más seguro.

PARTE NÚMERO 2

A continuación oirá siete textos breves. Para cada texto se le hará una pregunta. Elija la respuesta adecuada fijándose en las imágenes de cada texto. Debe oír cada texto dos veces.

TEXTO 1

a
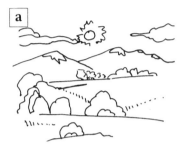

b

c

• 1. *¿Dónde vive ahora Eduardo?* •

TEXTO 2

a

b

c

• 2. *¿Qué tiempo hará mañana?* •

TEXTO 3

a

b

c

• 3. *¿Dónde vive Jaime?* •

TEXTO 4

a

b

c

• 4. ¿A qué se dedica la familia de José? •

TEXTO 5

a

b

c

• 5. ¿Qué es lo que menos le gusta de la capital? •

TEXTO 6

a

b

c

• 6. ¿Qué es lo que menos le gusta del campo? •

TEXTO 7

a

b

c

• 7. ¿Qué es lo que no harás si viajas con DEPORMÁS? •

PARTE NÚMERO 3

A continuación oirá por los altavoces de una estación de trenes un mensaje. Debe oírlo dos veces. Después seleccione la respuesta correcta.

PREGUNTAS

1. El mensaje está dirigido a:

      a *Una persona que ha perdido su coche y sus llaves.*

      b *Aquellas personas que hayan perdido algún objeto personal.*

      c *Una persona que necesita una mochila roja sin identificación.*

2. Según el mensaje, las personas que han perdido algo:

      a *Tienen que ir a la próxima estación.*

      b *Tienen que ir a la comisaría.*

      c *Tienen que ir a la oficina de objetos perdidos.*

PARTE NÚMERO 4

A continuación oirá una conversación. Debe oírla dos veces. Después, seleccione la respuesta correcta.

PREGUNTAS

1. Marta cree que en las ciudades:

      a *Hace un calor insoportable.*

      b *La gente vive muchísimo mejor que en el pueblo.*

      c *Siempre hay alguna actividad para hacer.*

2. Marta cree que en los pueblos:

      a *La gente vive con mucha más tranquilidad y menos agobio.*

      b *La gente trabaja mucho más que en la ciudad.*

      c *Sólo viven 8.000 personas.*

Prueba 4: Conciencia comunicativa y metalingüística

PARTE NÚMERO 1

¿En qué situación diría usted las siguientes frases? Marque con una X la respuesta adecuada.

1. - *¿A qué hora hemos quedado?*
    a Usted pregunta dónde está el cine.
    b Usted quiere saber quién va a ir al cine.
    c Usted quiere saber cuándo vendrán sus amigos para ir al cine.

2. - *Deberías pedir hora en el médico.*
    a Usted tiene que preguntar al médico qué hora es.
    b A usted le aconsejan ir al médico.
    c Usted debería ir en metro.

3. - *Una temporada en el campo te sentaría de maravilla.*
    a A usted le recomiendan pasar un tiempo en el campo.
    b A usted le han dicho que el campo no es saludable.
    c Usted quiere ir a sentarse un rato.

4. - *¿Qué ponen hoy en la televisión?*
    a Usted quiere saber si hay televisión.
    b Usted pregunta dónde está la televisión hoy.
    c Usted quiere saber qué programas de televisión hay hoy.

5. - *¿Me da algo para el resfriado, por favor?*
    a Usted está en un restaurante.
    b Usted está en una farmacia.
    c Usted está en una cocina.

PARTE NÚMERO 2

A continuación tiene usted 5 frases. En cada frase hay dos palabras en letra negrita que no son adecuadas. Debe usted sustituirlas por alguna de las palabras de la lista que aparece al final.

1. La vida en las grandes ciudades puede provocar en el indivi-duo un estado de alteración y nerviosismo que normalmente no **dan** los habitantes de las **enormes** ciudades o de los pue-blos.

  A B C D E F G H I J
  ☐ ☐ ☐ ☐ ☐ ☐ ☐ ☐ ☐ ☐
  A B C D E F G H I J
  ☐ ☐ ☐ ☐ ☐ ☐ ☐ ☐ ☐ ☐

2. La gente del campo, en general, **corre** más temprano que en la ciudad. Además la vida allí es **menos** saludable ya que se respira aire más sano.

  A B C D E F G H I J
  ☐ ☐ ☐ ☐ ☐ ☐ ☐ ☐ ☐ ☐
  A B C D E F G H I J
  ☐ ☐ ☐ ☐ ☐ ☐ ☐ ☐ ☐ ☐

3. Las grandes ciudades ofrecen más posibilidades culturales pa-ra todas las **direcciones**. Los estudiantes universitarios de-ben **salir** a las grandes ciudades para poder estudiar carreras especializadas como por ejemplo botánica, estudios sobre el medio ambiente o traducción e interpretación.

  A B C D E F G H I J
  ☐ ☐ ☐ ☐ ☐ ☐ ☐ ☐ ☐ ☐
  A B C D E F G H I J
  ☐ ☐ ☐ ☐ ☐ ☐ ☐ ☐ ☐ ☐

4. Las personas que viven **dentro** de las grandes ciudades se alimentan con productos más naturales y frescos. Por el contrario muchas de las personas que viven en la ciudad y que no tienen ni un **reloj** para comer, suelen tener problemas digestivos debido a la carencia de vitaminas y de una alimentación adecuada.

A B C D E F G H I J
☐ ☐ ☐ ☐ ☐ ☐ ☐ ☐ ☐ ☐

A B C D E F G H I J
☐ ☐ ☐ ☐ ☐ ☐ ☐ ☐ ☐ ☐

5. La mayoría de las ciudades españolas tiene un Conservatorio en el que los estudiantes pueden **comprar** estudios de teatro, danza, o música. Muchos de estos estudiantes cuando terminan sus estudios, **ponen** sus primeros trabajos en las ciudades más grandes de España como Madrid, Barcelona o Sevilla. Sólo algunos pocos deciden ampliar sus conocimientos en el extranjero o trabajar en ballets u orquestas extranjeras.

A B C D E F G H I J
☐ ☐ ☐ ☐ ☐ ☐ ☐ ☐ ☐ ☐

A B C D E F G H I J
☐ ☐ ☐ ☐ ☐ ☐ ☐ ☐ ☐ ☐

| A)trasladarse | B)se levanta | C)más | D)sufren | E)fuera |
| F)edades | G)rato | H)encuentran | I)pequeñas | J)seguir |

• •

PARTE NÚMERO 3

Complete los huecos del texto siguiente con una de las tres opciones que se le proponen al final.

EL MAR ES DE TODOS

No todo el mundo comprende lo importante que es el mar ___1___ todos los seres humanos. El mar es verdaderamente esencial, no sólo por la cantidad de alimento que nos proporciona ___2___ también por la innumerable vida que ___3___ en él. Hoy en día los pescadores ___4___ quejan de que el mar está cada vez más contaminado. Los residuos de las fábricas o industrias, el problema de las manchas de petróleo, los vertederos de algunas ___5___ ciudades, ___6___ ello afecta directamente al mar. Muchas personas en el mundo viven única y exclusivamente del mar. Para España, con kilómetros y kilómetros de costa, el mar es de vital importancia. La mayoría de nuestros turistas ___7___ para disfrutar de nuestro sol y de nuestro mar. Antes ___8___ unas playas mucho menos pobladas, las urbanizaciones no ___9___ tan frecuentes y en los pueblos todavía existía ese efecto especial del blanco de las casas, el azul del mar y el brillante sol con el que millones de turistas ___10___ durante el invierno. Hoy, muchos de estos turistas se quejan de que algunas de nuestras playas no están lo suficientemente limpias, y de que nuestro mar, a veces, sobre todo ___11___ de las ciudades, no ofrece un aspecto ___12___ saludable. Nuestro gobierno ___13___ , sin duda, ocuparse un poco más de nuestro mar, no sólo por todos esos turistas que adoran nuestras playas, ni siquiera ___14___ el mar proporciona miles de puestos de trabajo. El mar es de todos y para todos y si el mar no está limpio, si nuestras playas no lo están, nuestra conciencia ___15___ debería quedar tranquila.

OPCIONES

1.	a para	b por	c a
2.	a si no	b sino	c pero
3.	a es	b está	c hay
4.	a se	b le	c les
5.	a gran	b grande	c grandes
6.	a toda	b todo	c todos
7.	a vienen	b ven	c voy
8.	a encuentran	b han encontrado	c encontraban
9.	a eran	b son	c fueron
10.	a soñar	b sueño	c sueñan
11.	a en	b pronto	c cerca
12.	a muy	b mucho	c muchas
13.	a tendría	b haría	c debería
14.	a como	b porque	c donde
15.	a tan	b también	c tampoco

Prueba 5: Expresión e interacción orales

PARTE NÚMERO 1

Entrevista con el examinador

Practique una entrevista contestando a preguntas sobre sus propios datos personales, sus actividades cotidianas, el lugar donde vive, el campo y la ciudad, sus gustos y preferencias. Utilice como guía las preguntas que aparecen a continuación.

1. ¿Nació usted en el campo o cerca del campo o en la ciudad? ¿Puede describir su lugar de nacimiento?

2. ¿Qué lugar en el mundo le gustaría visitar? ¿Por qué?

3. ¿Cuáles son los problemas más grandes de las grandes ciudades? ¿Y del campo?

4. ¿Ha vivido usted alguna vez en algún pueblo pequeño? En caso negativo, ¿le gustaría?

5. ¿Qué ventajas y/o desventajas tiene vivir en la ciudad? ¿Y en el campo? ¿Y en la costa?

PARTE NÚMERO 2

Se le plantean unas situaciones comunicativas, en las que usted deberá decir frases adecuadas, simulando desempeñar los siguientes papeles.

1. Usted llega a un hotel en una gran ciudad y no tiene reserva. Usted quiere pasar allí dos noches.

2. Usted está en un restaurante y quiere saber cuál es la comida típica del lugar, pregunte en qué consiste.

3. Usted está en una compañía aérea porque quiere cambiar la fecha de un billete de avión.

4. Alguien le pregunta cómo es el clima en su país. Descríbalo.

5. Usted está en la carretera. Se ha quedado sin gasolina. Pida ayuda.

PARTE NÚMERO 3

Expresión oral sobre un soporte gráfico

Observe con atención las dos situaciones que se le presentan a continuación.

1) Describa:

El contenido de las viñetas. Ponga especial atención en los lugares, cómo son, qué hay en ellos. Hable de los personajes, de lo que hacen y de lo que les gustaría hacer.

2) Narre:

Lo que ocurre en las dos situaciones.

Certificado inicial de E.L.E.

Notas

La educación

Prueba 1: Interpretación de textos escritos

PARTE NÚMERO 1

Lea con atención el siguiente texto. A continuación encontrará tres preguntas. Indique si son verdaderas (V) o falsas (F) de acuerdo con el contenido del artículo leído.

LA EDUCACIÓN EN ESPAÑA

¿Hay alguna esperanza de que las cuestiones referentes a la educación alcancen una solución satisfactoria? Debo confesar que personalmente tengo muy poca. Y esto contrasta con mi actitud habitual, que está marcada por una considerable confianza en las posibilidades humanas, y más concretamente de los españoles.

La educación no es simplemente *instrucción*: es además, quizá primariamente, formación y despliegue de la personalidad. Pero ¿se tiene en cuenta? Se han eliminado casi enteramente las disciplinas que se llaman de *Humanidades*, que se consideran algo así como un *adorno*. Pero son ellas las que permiten a los hombres saber quiénes son y dónde están y por tanto qué pueden y deben hacer.

(Adaptado de MAGISTERIO ESPAÑOL. Julián Marías. 1992)

<u>PREGUNTAS</u>   V.   F.

1. El autor de este texto es optimista con respecto a la educación en España. ☐ ☐

2. Según el autor, las humanidades constituyen una parte importante de la educación. ☐ ☐

3. El autor dice que los hombres no saben quiénes son ni adónde van. ☐ ☐

PARTE NÚMERO 2

Le presentamos una serie de textos escritos sobre los que deberá contestar a las preguntas que se le formulan eligiendo la opción que crea adecuada.

• TEXTO 1

El nuevo sistema educativo español establece los siguientes ciclos:

0 - 6 años:	*Educación Infantil*
6 - 12 años:	*Educación Primaria*
12 - 16 años:	*Educación Secundaria Obligatoria (con la inclusión de la formación profesional de base)*
16 - 18 años:	*Bachillerato*

Los españoles tienen la obligación de asistir a un centro educativo:

a *Hasta los 18 años*

b *Hasta los 16 años*

c *Hasta los 12 años*

• TEXTO 2

> **LOS ESTUDIANTES QUE ACCEDEN A LA UNIVERSIDAD PUEDEN ELEGIR ENTRE MÁS DE CIEN TITULACIONES.**

La Universidad ofrece a los estudiantes:

- [a] *Elegir entre varias carreras.*
- [b] *Elegir entre varias universidades.*
- [c] *Elegir cien titulaciones.*

• TEXTO 3

> **Preguntas interminables**
> Hacia los tres años los niños sienten una enorme curiosidad por lo que los rodea. Por eso ya no extraña que los niños pregunten: ¿por qué te vas?, ¿por qué la luna está ahí?, ¿por qué...?

Según el texto, los niños:

- [a] *Quieren saberlo casi todo.*
- [b] *No se atreven a preguntar.*
- [c] *Preguntan sólo cosas importantes.*

• TEXTO 4

> **ENSEÑARLES A ORGANIZARSE**
>
> Cuando los niños se van de excursión, o a un campamento, es un buen momento para que aprendan a organizarse. Pueden preparar solos la mochila si les damos algunas pistas sobre lo que van a necesitar por la mañana, por la noche, cuando llueva, cuando haga calor. Lo mejor es hacer una lista antes de empezar.

Según el texto, es conveniente para los niños:

- [a] *Prepararles la mochila.*
- [b] *Ayudarlos a preparar lo necesario.*
- [c] *Dejarlos que se organicen solos.*

Certificado inicial de E.L.E.

•TEXTO 5

TÚ QUE PUEDES, NO TE LO PIERDAS
Diviértete. Multiplica tus ideas. Descubre otros mundos. Aumenta tu capacidad de conversación. Mejora la opinión que tienen de ti. Satisface todas tus curiosidades. Acércate a los libros.

Según este texto:

    a) *Leer es una actividad aburrida.*

    b) *Leer es adquirir nuevos conocimientos.*

    c) *Leer es disminuir el tiempo de estudio.*

•TEXTO 6

REQUISITO PARA SOLICITAR BECAS.
La renta familiar neta de los solicitantes no podrá exceder de tres millones anuales.

Según este requisito, pueden solicitar becas los hijos de las familias que:

    a) *Ganan menos de tres millones.*

    b) *Superan los tres millones.*

    c) *Gastan tres millones.*

•TEXTO 7

EDUCACIÓN VIAL

El Ayuntamiento de Torrelodones ha creado una nueva escuela en la que los niños y adolescentes ponen en práctica todas las normas de circulación para peatones, ciclistas y conductores. Se espera reducir los accidentes.

El Ayuntamiento ha creado una escuela:

    a) *Para enseñar a conducir.*

    b) *Para aprobar el examen teórico del futuro conductor.*

    c) *Para enseñar a los niños a comportarse cuando se mueven por calles y carreteras.*

PARTE NÚMERO 3

Lea el texto que le ofrecemos a continuación y conteste a las preguntas según la información obtenida.

CARRERAS CON FUTURO

Una formación universitaria ya no garantiza el éxito del trabajo. Si busca una buena relación formación-empleo, aquí tiene algunas propuestas:

FISIOTERAPIA: el auge de las medicinas alternativas está transformando la sanidad. Una de las especialidades con mayor salida es la fisioterapia, que trata las enfermedades aplicando técnicas manuales -como los masajes-, y tecnologías no agresivas -como ultrasonido, rayos UVA o láser. La carrera dura 3 años y está en auge en toda Europa.

RESTAURACIÓN: son muchos los monumentos y edificios que necesitan trabajos de conservación y de restauración. Hay demanda de estos especialistas de alto nivel en el campo de la arqueología, la escultura, la pintura y el documento gráfico, tanto en España como en Europa.

FONTANERÍA: es el profesional que se necesita en todas las casas, sean antiguas o de nueva construcción. Arregla e instala todas las cañerías, grifos y calefacciones. Puede encontrar trabajo en muchas empresas o crear la suya propia.

IMAGEN Y SONIDO: buenas perspectivas en el mundo de la comunicación audiovisual. Se pueden formar como técnicos e ingenieros superiores. Algunas academias y escuelas privadas preparan para trabajar en televisión.

DOCUMENTACIÓN: es la única carrera de humanidades, junto con traducción e interpretación, que cuenta con una amplia demanda laboral. Se requiere una formación continua en el uso del videotexto, la microfilmación y las bases de datos.

ELECTRICIDAD: es una buena formación técnica que permite conseguir trabajo rápidamente en diferentes ámbitos: construcción y mantenimiento de hospitales, fábricas y grandes edificios. No hay que olvidar la gran demanda de electricistas en toda la industria y en los talleres.

SECRETARIADO DE DIRECCIÓN: en España no abundan debido a la falta de conocimientos de idiomas extranjeros. El trabajo requiere un alto y constante aprendizaje, así como buenas dotes de organización. De momento, sólo se puede estudiar en escuelas privadas.

INFORMÁTICA: los estudios van desde el diseño gráfico hasta la programación. Se puede preparar en centros privados, en dos o tres años, o se pueden hacer estudios universitarios de ingeniero superior o técnico. Los profesionales de la informática pueden acceder con facilidad al mercado de trabajo.

---

1. Usted es una persona amante del arte y de la historia, por lo que le gustaría ser:

      a Secretario/a de dirección

      b Restaurador/a

      c Fisioterapeuta

2. Quiere conseguir trabajo rápidamente y le gustan los ordenadores y las humanidades. Se inclina por ser:

      a Restaurador

      b Técnico de imagen y sonido

      c Documentalista

3. Siempre ha soñado con estar detrás de una cámara, dirigiendo a artistas famosos. Lo suyo es:

    a *Imagen y sonido*

    b *Informática*

    c *Fisioterapia*

4. Tiene buenas cualidades de organización y sabe dos idiomas. Se puede preparar para ser:

    a *Informático/a*

    b *Secretario/a de dirección*

    c *Restaurador/a*

5. Lo suyo son los motores y las máquinas y, además, no quiere ir a la universidad. Para encontrar una buena forma de ganarse la vida, piensa ser:

    a *Fisioterapeuta*

    b *Electricista*

    c *Documentalista*

6. Está pensando en una carrera corta, que le permita trabajar en cuestiones relacionadas con la salud. Es muy hábil con las manos y ha hecho bastante deporte. Puede interesarle:

    a *Fisioterapia*

    b *Informática*

    c *Restauración*

7. Siempre le ha gustado reparar todo lo que se rompe en la casa y sabe solucionar los problemas que surgen con las pérdidas de agua o los atascos en el baño. Seguro que le interesará:

    a *Imagen y sonido*

    b *Documentación*

    c *Fontanería*

8. Desde pequeño tiene afición por la fotografía y le gusta mucho el cine. Le gustaría ser:

    a *Informático*

    b *Fisioterapeuta*

    c *Técnico en imagen y sonido*

9. Una de estas carreras no se puede estudiar en un centro público: Se trata de:

    a *Documentación*

    b *Fisioterapia*

    c *Secretariado de dirección*

10. Una de estas especialidades está relacionada con el arte, pero requiere una gran habilidad manual; es:

    a *Restauración*

    b *Fontanería*

    c *Imagen y sonido*

Prueba 2: Producción de textos escritos

PARTE NÚMERO 1

Usted quiere pedir una beca de estudios a un organismo español y, para ello, debe rellenar la siguiente solicitud.

Apellidos: ....
Nombre: ....
Fecha de nacimiento: ....
Domicilio permanente: ....
Domicilio durante el curso: ....
Estudios realizados:
      1. Secundarios: ....
      Calificaciones obtenidas: ....
      2. Otros estudios: ....
      ....
      3. Centro o Universidad: ....
¿Qué estudios quiere cursar en España? ....
Lugar de preferencia (especifique máximo tres)...............................
¿Ha obtenido alguna otra beca del Estado Español?   Sí ☐   No ☐
(especifique el organismo que se la concedió)...................................
Nivel de conocimiento de Español: Principiante ☐   Intermedio ☐   Avanzado ☐
¿Cuánto tiempo ha estudiado español? ....
¿Dónde? ....
¿Ha visitado o ha vivido en algún país de habla hispana? ....
(Especifique el país y la duración)

PARTE NÚMERO 2

Escriba una carta solicitando una beca a la Fundación *Sin fronteras*, dedicada a la promoción del español en el mundo. No olvide indicar para qué tipo de estudios la solicita, por cuánto tiempo y por qué sería conveniente que se la dieran. Puede empezar y terminar de la forma siguiente:

Muy Señores míos:

He sabido que la Fundación Sin fronteras concede ayudas económicas para ....

....

....

....

....

....

....

En espera de sus noticias atentamente les saluda.

....

Prueba 3: Interpretación de textos orales

● ●

PARTE NÚMERO 1

A continuación oirá diez diálogos breves. Una persona habla con otra, y ésta última responde de tres maneras diferentes. Únicamente una de las tres respuestas es adecuada. Debe oír cada diálogo dos veces.

1. Un señor habla con otro señor.

A. – —————

B. – a Sí, ya le he enseñado la fotografía.
b Una sobre la Comunidad Económica Europea.
c No, nunca he estudiado inglés.

2. Un chico habla con una chica.

A. – —————

B. – a No, yo soy de ciencias.
b Sí, hago natación todos los días.
c La de biología me encanta.

3. Un señor habla con una señora en una entrevista.

A. – —————

B. – a Me gustaría aprender a cocinar.
b No, no hablo alemán.
c Tres: español, inglés y francés.

4. Dos chicos hablan al salir de la universidad.

A. – —————

B. – a No me voy el año que viene.
b Yo sí, y tú, ¿qué asignaturas has elegido?
c Claro, me encantaría poder ir contigo.

5. Dos amigas hablan.

A. – —————

B. – a ¿Ah sí? ¿De qué la conoces?
b Eres muy amable, de verdad.
c ¿Cuándo lo quieres hacer?

6. Unos profesores hablan.

A. – —————

B. – a Por la tarde no deberías hacer eso.
b A última hora de la tarde te llamo.
c No estoy seguro, pero creo que muy tarde.

7. Dos compañeros hablan al salir de clase.

A. – —————

B. – a Las dos primeras preguntas bien, la última fatal.
b Sí, ya me han contado la historia.
c Es que no entiendo de qué historia me hablas.

8. Unas chicas hablan.

A. – —————

B. – a ¿Por qué no lees un rato?
b ¿Por qué no te la compras?
c Sí, ya he comprado lo que necesitaba.

9. Un señor habla con una señora.

A. – —————

B. – a Mi hijo vive en Salamanca desde hace dos años.
b Pues Derecho, y está muy contento.
c Sí señora, es un cocinero fenomenal.

10. Unos chicos hablan.

A. – —————

B. – a Supongo que se lo diré mañana.
b Acabo de empezar ahora mismo.
c Sólo estoy en segundo. Me quedan tres años.

PARTE NÚMERO 2

A continuación oirá siete textos breves. Debe oírlos dos veces. Para cada texto se le hará una pregunta. Elija la respuesta adecuada fijándose en las imágenes de cada texto.

TEXTO 1 _____

| a | 6 AÑOS | b | 5 AÑOS | c | 2 AÑOS |

• 1. ¿Qué va a estudiar Ángeles? •

TEXTO 2 _____

| a | | b | | c | |

• 2. ¿Qué va a hacer durante el mes de julio? •

TEXTO 3 _____

| a | | b | | c | |

• 3. ¿Qué hace Rosa? •

60

TEXTO 4

• ¿Quién puede estudiar en la escuela nocturna Mirasol? •

TEXTO 5

• 5. ¿Qué instrumento toca peor? •

TEXTO 6

   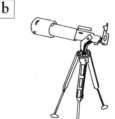   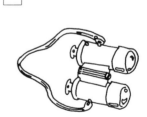

• 6. ¿Qué objeto desconoce? •

TEXTO 7

• 7. ¿Adónde va a ir Pablo con el colegio? •

PARTE NÚMERO 3

A continuación oirá un mensaje. Debe oírlo dos veces. Después seleccione la respuesta correcta.

PREGUNTAS

1. Los alumnos que están haciendo el examen:

　　　a Pueden escribir cuando quieran.

　　　b Pueden utilizar cualquier lápiz.

　　　c Pueden empezar el examen cuando lo diga el profesor.

2. Durante el examen, los alumnos:

　　　a Pueden hablar un poco.

　　　b Pueden preguntar algo al profesor.

　　　c Pueden recoger sus objetos personales.

3. Antes del examen:

　　　a Deben colocar sus cosas debajo del asiento.

　　　b Deben mirar debajo del asiento.

　　　c Deben preguntar al profesor qué hay debajo del asiento.

PARTE NÚMERO 4

A continuación oirá una conversación. Debe oírla dos veces. Después seleccione la respuesta correcta.

PREGUNTAS

1. La chica que va a pedir información quiere saber:

　　　a Si ella puede estudiar en esa escuela.

　　　b Cómo son los cursos de español en esa escuela.

　　　c Si su amigo sabe mucho o poco español.

2. La señora que da información cree:

　　　a Que el chico habla perfectamente español.

　　　b Que todos los alumnos deben estudiar español 12 meses.

　　　c Que un curso intensivo es lo mejor para un alumno que habla poco español.

Prueba 4: Conciencia comunicativa y metalingüística

PARTE NÚMERO 1

¿En qué situación diría usted las siguientes frases? Marque con una X la respuesta adecuada.

1. - *¿Me pasas el informe por favor?*
   - [a] Su compañero necesita el informe que usted ha hecho.
   - [b] Usted no quiere un informe.
   - [c] Usted está en la oficina de correos para enviar un informe.

2. - *¿Para cuándo es el trabajo de Dirección de Empresas?*
   - [a] Un compañero suyo ha realizado un trabajo de Dirección de Empresas.
   - [b] Usted quiere saber la fecha de entrega del trabajo de Dirección de Empresas.
   - [c] Su jefe quiere saber dónde está el trabajo de Dirección de Empresas.

3. - *¿Cuándo termina el plazo de matrícula?*
   - [a] Usted se ha matriculado en un curso de informática.
   - [b] Usted necesita saber cuál es el último día para poder matricularse en un curso de informática.
   - [c] Un compañero suyo le dice que ha hecho un curso de informática muy interesante.

4. - *¿Cuántas asignaturas tienes?*
   - [a] A usted le preguntan si sabe inglés.
   - [b] Un amigo le pregunta cuántas horas trabaja cada día.
   - [c] Un compañero suyo le pregunta cuántas clases tiene.

5. - *¿Te importa si estudio contigo?*
   - [a] Un amigo suyo quiere estudiar con usted.
   - [b] A usted le interesa estudiar solo.
   - [c] A usted no le importa estudiar solo.

PARTE NÚMERO 2

A continuación tiene usted 10 frases. En cada frase hay una palabra en letra negrita que no es adecuada. Debe usted sustituirla por alguna de las palabras de la lista que aparece al final.

1. La asistencia a las clases tanto teóricas como prácticas, y a los diferentes seminarios que se organizan **entre** el curso, es obligatoria excepto que se indique lo contrario.

A B C D E F G H I J

2. La falta de asistencia injustificada a más de un 20 por ciento de las clases de una misma asignatura o laboratorio puede bajar la nota **inferior** del alumno.

A B C D E F G H I J

3. Si un alumno no **sale** a clase con regularidad el profesor puede negarse a examinar al alumno.

A B C D E F G H I J

4. Cuando un alumno no pueda asistir a clase durante un tiempo prolongado por alguna **posibilidad** justificada, deberá solicitar a Secretaría de Cursos una autorización.

A B C D E F G H I J

Certificado inicial de E.L.E.

5. El *siglo* de ausencia de un alumno, en ningún caso podrá exceder a 40 días.

A B C D E F G H I J
☐ ☐ ☐ ☐ ☐ ☐ ☐ ☐ ☐ ☐

6. Todos los estudiantes deben estudiar francés e inglés. Si un alumno cree tener un *amigo* superior en alguno de los dos idiomas puede realizar un examen para quedar exento en uno o en los dos idiomas.

A B C D E F G H I J
☐ ☐ ☐ ☐ ☐ ☐ ☐ ☐ ☐ ☐

7. Si el alumno tiene buenos conocimientos de inglés o francés, *antes* de demostrarlo en el examen de nivel, puede elegir alemán y/o italiano.

A B C D E F G H I J
☐ ☐ ☐ ☐ ☐ ☐ ☐ ☐ ☐ ☐

8. Los alumnos extranjeros que no hayan estudiado nunca en una escuela o universidad española deben matricularse, por lo menos, en un curso del *museo* de Estudios Hispánicos.

A B C D E F G H I J
☐ ☐ ☐ ☐ ☐ ☐ ☐ ☐ ☐ ☐

9. Los estudiantes extranjeros que no necesitan *hablar* lengua española pueden hacer un curso de redacción.

A B C D E F G H I J
☐ ☐ ☐ ☐ ☐ ☐ ☐ ☐ ☐ ☐

10. La evaluación de todos los alumnos se *termina* durante el curso. Los profesores tienen en cuenta la participación en clase del alumno, los trabajos que realiza durante el curso, la asistencia a clase, las presentaciones orales y los exámenes tanto parciales como finales.

A B C D E F G H I J
☐ ☐ ☐ ☐ ☐ ☐ ☐ ☐ ☐ ☐

A) realiza	B) después	C) durante	D) estudiar	E) asiste
F) período	G) departamento	H) causa	I) final	J) nivel

● ●

PARTE NÚMERO 3

Complete los huecos del texto siguiente con una de las tres opciones que se le proponen al final del ejercicio.

Carmen: –¿Tú ___1___ el número de asignaturas que tiene que estudiar mi hijo el año que viene?

Elena: –Ya, yo no entiendo por qué ___2___ estudiar tantas materias diferentes y tan extrañas.

Carmen: –Elena, ¿te acuerdas de ___3___ asignatura que tenía un nombre rarísimo, cuando nosotras ___4___ al colegio? ¿ ___5___ se llamaba?

Elena: –¿Te refieres a la clase de "Pretecnología"?

Carmen: –Sí, ésa. Me acuerdo de que cuando mi madre ___6___ esa asignatura en la lista que nos ___7___ para comprar los libros, se asustó muchísimo pensando que ___8___ algo raro y llamó al director del colegio.

Elena: –¿De verdad? ___9___ me lo dijiste.

Certificado inicial de E.L.E.

Carmen: –Es __10__ me daba una vergüenza tremenda.

Elena: –¿Y qué __11__ dijo el director?

Carmen: –Pues le explicó que "Pretecnología" era más o menos como la clase de dibujo y de traba-jos manuales juntas. El __12__ día que tuve esa clase mi madre me preguntó "¿qué has hecho en clase hoy?" Y yo le __13__ mi primera obra maestra, __14__ un burro con un señor montado. El señor era el profesor de "Pretecnología", pero eso no se __15__ dije.

OPCIONES

1.	a veías	b has visto	c vas
2.	a tienen que	b van	c hay
3.	a aquella	b esta	c dos
4.	a iremos	b íbamos	c vamos
5.	a cómo	b cuánto	c dónde
6.	a vio	b vi	c ha visto
7.	a dan	b dieron	c han dado
8.	a es	b era	c ha sido
9.	a nadie	b nunca	c todavía
10.	a como	b que	c cual
11.	a lo	b le	c la
12.	a primero	b primera	c primer
13.	a enseñaba	b enseñé	c enseño
14.	a pinto	b pinté	c pintar
15.	a lo	b la	c le

Prueba 5: Expresión e interacción orales

PARTE NÚMERO 1

Entrevista con el examinador

Practique una entrevista contestando a preguntas sobre sus propios datos personales, sus actividades cotidianas, la educación, sus gustos y preferencias. Utilice como guía las preguntas que aparecen a continuación.

1. En su país, ¿a qué edad van los niños al colegio? ¿hasta qué edad es obligatorio ir al colegio?

2. Si es usted estudiante, ¿qué estudia usted? ¿por qué? Si ya ha terminado los estudios, ¿qué estudió usted? ¿hasta qué edad?

3. ¿Cuánto tiempo duran las carreras universitarias en su país? Para usted, ¿qué carreras son las más difíciles?

4. ¿Es frecuente estudiar español en su país? ¿Por qué estudia usted español? ¿Va a utilizar el español en su trabajo?

5. ¿Cree que hoy en día los idiomas son importantes? ¿Por qué?

PARTE NÚMERO 2

Se le plantean unas situaciones comunicativas, en las que usted deberá decir frases adecuadas, simulando desempeñar los siguientes papeles.

1. Usted está en una universidad y quiere saber más información sobre una carrera en particular. Pregunte.

2. Usted quiere saber el horario escolar de los niños y de los adolescentes en España. Pregunte.

3. Usted está en un colegio al que ha ido para recoger al hijo de un vecino. Preséntese y explique la situación.

4. Un español quiere estudiar su idioma. Le va a pedir información sobre lo que tiene que hacer, adónde tiene que ir, etc.

5. Usted tiene un amigo que ha terminado sus estudios. Reaccione y felicítelo.

PARTE NÚMERO 3

Expresión oral sobre un soporte gráfico

Observe con atención las dos situaciones que se le presentan a continuación.

1) Describa:

El contenido de las viñetas. Ponga especial atención en los lugares, cómo son, qué hay en ellos. Hable de los personajes, de lo que hacen y de lo que les gustaría ser.

2) Narre:

Lo que ocurre en las dos situaciones.

Notas

El mundo del trabajo

Prueba 1: Interpretación de textos escritos

PARTE NÚMERO 1

Lea con atención el siguiente texto. A continuación encontrará tres preguntas. Indique si son verdaderas (V) o falsas (F) de acuerdo con el contenido del artículo leído.

MUJERES EN ACCIÓN
LA FUERZA LABORAL QUE VIENE

Actualmente, las mujeres tienen, en términos generales, más dificultades para conseguir contratos de trabajo y, en muchos casos, cobran menos que un hombre por desarrollar la misma función.

A pesar de todo, las perspectivas son excelentes de cara al futuro, debido a que la mujer está destacando como el trabajador ideal de la sociedad del conocimiento. Ha irrumpido en masa en todas las profesiones porque su estilo laboral está más cerca de la norma que exige la sociedad moderna.

Si, por otra parte, continúa en ascenso la entrada de mujeres en la Universidad, podemos afirmar que el próximo siglo estará dominado por mujeres profesionales tituladas (una tendencia muy marcada ya en numerosas carreras), que ocuparán cada vez más puestos de responsabilidad, algo en lo que aún se encuentran en niveles bajísimos.

(Adaptado de MUY INTERESANTE. Mayo 1994)

PREGUNTAS   V.   F.

1. Según el texto, las mujeres se encuentran en la misma situación laboral que los hombres en cuanto a contratos y salarios. ☐ ☐

2. La forma de trabajar de la mujer le impide desarrollar con eficacia ciertas profesiones. ☐ ☐

3. En el futuro, los hombres compartirán con las mujeres los puestos más altos en el mundo laboral. ☐ ☐

PARTE NÚMERO 2

Le presentamos una serie de textos escritos sobre los cuales deberá contestar a una pregunta referida a cada uno.

•TEXTO 1

EL MEJOR EMPLEO ME LO DOY YO MISMO
En tiempos de crisis, lo mejor es autoemplearse

Según este titular, cuando hay crisis conviene:

    ⒜ *Buscar un nuevo trabajo.*

    ⒝ *Montar un negocio propio.*

    ⒞ *Pedir un ascenso automático en el trabajo.*

• TEXTO 2

TRABAJO CON BUEN AMBIENTE

**Suben los expertos en ecología.
Las actividades "verdes" tendrán más salida.**

En el futuro ¿quiénes van a encontrar más trabajo?:

- [a] *Los que se dedican al cuidado de la naturaleza.*
- [b] *Los jardineros de la ciudad.*
- [c] *Los expertos en medicina.*

• TEXTO 3

SU CASA
Con eficacia. Con garantía. Le ofrecemos toda nuestra cartera de pisos, en las mejores zonas y al mejor precio. Teléfono: 2134566.

La gente que trabaja en esta empresa:

- [a] *Se dedica a arreglar las averías de su casa.*
- [b] *Son ingenieros que construyen casas.*
- [c] *Son vendedores de casas.*

• TEXTO 4

Julián:
    No he podido terminar el informe porque se me rompió el ordenador. Te lo entregaré mañana en la oficina. Lo siento.
                                    Pedro.

En esta nota se dice que:

- [a] *Julián ha hecho todo el trabajo para Pedro.*
- [b] *Julián se disculpa porque no ha completado el trabajo.*
- [c] *Pedro no recibirá el trabajo de Julián en la oficina.*

• TEXTO 5

GALERÍAS **GRAN VÍA**
ANUNCIO A NUESTROS CLIENTES

•Si compra con la tarjeta **GRAN VÍA** tendrá un descuento del 10% y aparcamiento gratis.

En este anuncio se comunica que:

- [a] *Todos los que compren tendrán un descuento del 10%.*
- [b] *La tarjeta GRAN VÍA es sólo para clientes selectos.*
- [c] *El pago con la tarjeta GRAN VÍA hace que el precio de la compra disminuya.*

Certificado inicial de E.L.E.

• TEXTO 6

> ### *PROFESIONES CON FUTURO*
> Suben gestores, abogados y expertos en medio ambiente.
> Bajan maestros y licenciados en humanidades.

Según esta noticia del periódico:

- a *Tendrán más trabajo los profesores.*
- b *Se necesitarán gestores en el mercado laboral.*
- c *Los expertos en medio ambiente irán al paro.*

• TEXTO 7

> AGENCIA "LA COLMENA"
> Bolsa de trabajo para todos los socios. Por una mínima cuota mensual estará bien informado y se le abrirán todas las puertas.

Esta empresa ofrece:

- a *Trabajo para todos los que paguen una cantidad mensual.*
- b *Información para todos los que ya están trabajando.*
- c *Información sobre puestos de trabajo para los asociados.*

• TEXTO 8

> ### ⬤ CONVOCATORIA DE OPOSICIONES ⬤
> El Ayuntamiento de Santiago convoca 20 (veinte) plazas de profesores de gallego para escuelas bilingües. Tenemos todos los temarios. Se pueden preparar a distancia.

Este anuncio está dirigido a:

- a *Personas que viven fuera de Galicia.*
- b *Personas que quieren conseguir un trabajo oficial en escuelas gallegas.*
- c *Personas especializadas en la formación de profesores.*

• TEXTO 9

> **RENFE ANUNCIA SERVICIOS MÍNIMOS POR HUELGA**
> Los trenes de cercanías circularán cada hora.

A causa de la huelga:

- a *Los usuarios dispondrán de menos trenes de lo habitual.*
- b *Los trenes llegarán con retraso a sus destinos.*
- c *Se suspenderán los servicios mínimos.*

• TEXTO 10

> **¿BUSCA EMPLEO?**
> Sin salir de su casa gane un buen sueldo mensual.
> Le proporcionamos todo el material.
> Llámenos urgente al Tfno. 564 23 44

La empresa que ofrece este empleo:

- a *Paga a sus trabajadores sin que hagan nada.*
- b *Propone hacer el trabajo sin ir a la empresa.*
- c *Da trabajo si va a buscarlo a la empresa.*

PARTE NÚMERO 3

Le presentamos un texto relacionado con el mundo del trabajo, sobre el que deberá responder a una serie de preguntas.

OFERTA DE EMPLEO

CHOCOLATES "LA FELICIDAD"

Jefe regional para la zona de Madrid y Castilla - La Mancha.

Profesional de alrededor de 30 años, experiencia en venta de alimentación. Remuneración según valía del candidato. Teléfono 3425432.

MERCASA

Empresa de ámbito internacional ubicada en Barcelona.

Buscamos publicistas imaginativos y creadores para campañas en televisión y radio. Excelentes condiciones de trabajo. Apdo. Correos 453. Teléfono 3543322.

VERDE, VERDE

El mejor restaurante vegetariano de Murcia necesita incorporar dos ayudantes de cocina interesados en la preparación de platos con productos de la huerta. Promoción en concursos nacionales e internacionales. Teléfono 789003.

CONSEJERÍA DE MEDIO AMBIENTE

Jóvenes amantes de la naturaleza. Trabajo para julio y agosto en parques nacionales. Residencia en el propio parque. Preparación a cargo de técnicos especialistas. Teléfono 784498. Cádiz.

VUELVA AL CAMPO

En Almería podrá pasar los meses de julio y agosto cuidando y recogiendo flores. Mercado internacional. No se necesita experiencia previa. Próximo al mar. Pago por horas. Preguntar por Sr. Domínguez. Teléfono 234445.

CONSTRUCTORA DE ÁMBITO NACIONAL

Necesita un jefe de obras para su delegación de Asturias. Absoluta reserva. Teléfono 5455654.

Se requiere	Se ofrece
-Titulación: ingeniero	-Máximo apoyo a su gestión
-Edad: 35-45 años	-Retribución a convenir
-5 años de experiencia	-Participación en objetivos
-Residencia en Asturias	alcanzados.

COMUNIDAD CATALANA

Se necesitan 4 (cuatro) traductores trilingües español-catalán-inglés para la Agencia de Comercio Exterior. Se requiere experiencia y disponibilidad para viajar al extranjero. Barcelona. Apdo. Correos 123. Teléfono 3181833.

CASA ESPAÑA

Necesita profesionales para sus centros de proceso de datos en León, Zamora y Valladolid. Conocimientos de inglés técnico. Rogamos enviar curriculum vitae y fotografía. Apdo. Correos 567. Valladolid.

UNIÓN EUROPEA

Procedimiento de selección para la contratación de personal científico-técnico. Los candidatos deben poseer título universitario y postuniversitario en su especialidad y haber nacido después del 29/8/70. Conocimiento de dos lenguas de la Unión. Bruselas. Apdo. Correos 4567.

---

1. Usted ha terminado sus estudios de publicidad y para encontrar su primer empleo se dirige a:

    [a] *Constructora de ámbito nacional*

    [b] *Empresa MERCASA*

    [c] *Comunidad Catalana*

2. Uno de los anuncios requiere que los candidatos dominen tres lenguas, ¿cuál es?:
      [a] *Verde, Verde*
      [b] *Consejería de Medio Ambiente*
      [c] *Comunidad Catalana*

3. Un solo anuncio especifica que el salario depende de las horas que se trabajen:
      [a] *Vuelva al campo*
      [b] *MERCASA*
      [c] *Casa España*

4. En uno de los trabajos ofrecidos piden personas con 5 (cinco) años de experiencia como mínimo, ¿en cuál de ellos?:
      [a] *Vuelva al campo*
      [b] *Constructora de ámbito nacional*
      [c] *Casa España*

5. De las ofertas de empleo que ha leído hay una que no es para incorporarse inmediatamente. Se trata de:
      [a] *Comunidad Catalana*
      [b] *Unión Europea*
      [c] *Consejería de Medio Ambiente*

6. Hay algunas ofertas de trabajo sólo para una estación del año:
      [a] *Durante la primavera*
      [b] *Durante el verano*
      [c] *Durante el otoño*

7. Usted quiere dedicarse a la hostelería, por lo que le parece interesante conocer en profundidad todos los aspectos relacionados con ella. ¿A cuál de estas ofertas se apuntaría?:
      [a] *Verde, Verde*
      [b] *Chocolates "La felicidad"*
      [c] *Vuelva al campo*

8. Ha estado tres años preparándose como técnico en Informática y le apasionan los ordenadores. Por ello, va a escribir a una de estas empresas:
      [a] *Unión Europea*
      [b] *Constructora de ámbito nacional*
      [c] *Casa España*

9. Tiene una gran sensibilidad hacia la naturaleza, en especial por los jardines y la decoración de exteriores. ¿Cuál le parece la oferta más atractiva?:
      [a] *La de Verde, Verde*
      [b] *La de Vuelva al campo*
      [c] *La de la Conserjería de Medio Ambiente*

10. Usted está trabajando en una cadena de supermercados y ahora quiere cambiar. Le conviene contactar con:
      [a] *MERCASA*
      [b] *Chocolates "La felicidad"*
      [c] *Casa España*

Certificado inicial de E.L.E.

Prueba 2: Producción de textos escritos

PARTE NÚMERO 1

Elabore un *curriculum vitae* con el objeto de presentarse como candidato a una oferta de trabajo que le interesa.

DATOS PERSONALES
Apellidos: ....
Nombre: ....
Dirección: ....
Teléfono: ....
Nacionalidad: ....
Edad: ....

DATOS ACADÉMICOS
Estudios: ....
Estudios de especialización: ....
Idiomas: ....

EXPERIENCIA DE TRABAJO
-No remunerado: ....
-Remunerado: ....

INTERESES PERSONALES: ....
....

PARTE NÚMERO 2

Escriba una carta solicitando un puesto de trabajo. Empiece y termine como se le indica:

Muy Sr./Sra. mío/a:

Me dirijo a Ud. a fin de solicitar _____

_____

_____

_____

_____

_____

_____

Esperando que me concedan una entrevista personal, le saluda atentamente.

_____

Prueba 3: Interpretación de textos orales

PARTE NÚMERO 1

A continuación oirá diez diálogos breves. Una persona habla con otra persona, ésta última responde de tres formas distintas. Sólo una de las tres respuestas es adecuada. Debe oír cada diálogo dos veces.

1. Dos señores hablan al salir del trabajo.

A. – _____

B. – [a] *Lo siento, hoy no he conseguido vender nada.*

[b] *Todavía no me lo han presentado.*

[c] *El departamento de ventas está en la segunda planta.*

2. El médico habla con la enfermera.

A. – _____

B. – [a] *Un poco más de las normales, ya sabe, con las vacaciones…*

[b] *Mi hermana llega la semana que viene.*

[c] *Bueno, fue una visita increíble, de verdad, me encantó.*

3. Un secretario habla con su jefe.

A. – _____

B. – [a] *Gracias, estoy mucho mejor.*

[b] *Gracias, hágalo pasar.*

[c] *Gracias, ya he recibido el paquete.*

4. Un banquero habla con una señora.

A. – _____

B. – [a] *¿A su nombre?*

[b] *¿Quién es su jefe?*

[c] *¿Cómo desearía ir?*

5. Un señor habla con una señora en una tienda.

A. – _____

B. – [a] *¿Por qué no lo pones encima de la mesa?*

[b] *Un kilo de tomates para ensalada y una lechuga.*

[c] *Sí, me voy a poner corbata.*

6. Una señora habla con otra señora.

A. – _____

B. – [a] *Creo que no es muy caro para vivir en el centro de Madrid.*

[b] *El piso tiene dos habitaciones.*

[c] *El arquitecto es amigo de la familia.*

7. Un señor habla por teléfono con una señora.

A. – _____

B. – [a] *¿Me da usted su dirección, por favor?*

[b] *Los servicios están al fondo a la derecha.*

[c] *¿Quién hay en el baño?*

8. Una señora habla con un señor.

A. – _____

B. – [a] *Sí, la empresa se fundó en 1990.*

[b] *Este mes ha hecho dos años.*

[c] *A partir de la semana que viene.*

9. Un chico habla con otro chico.

A. – _____

B. – [a] *Ya te he dicho que así no se hace. Presta más atención.*

[b] *Cuando eches la cebolla, vigila que no se queme.*

[c] *Bien, lo peor es el horario de noche, todavía no me he acostumbrado.*

10. Unos señores hablan de su trabajo.

A. – _____

B. – [a] *No, no cobro hasta fin de mes.*

[b] *No, gracias, estoy a régimen.*

[c] *No me gusta hablar de estas cosas, lo siento.*

PARTE NÚMERO 2

A continuación oirá siete textos breves. Debe oírlos dos veces. Para cada texto se le hará una pregunta. Elija la respuesta adecuada, fijándose en las imágenes de cada texto.

TEXTO 1 _____

a

b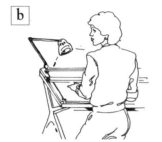

c

• 1. ¿Qué trabajo realiza? •

TEXTO 2 _____

a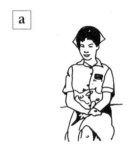

b

c

• 2. ¿Qué está estudiando? •

TEXTO 3 _____

a

b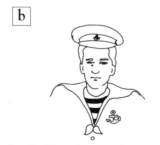

c

• 3. ¿Cuál es el oficio de este señor? •

TEXTO 4

a 　　　b 　　　c

• 4. *¿Cuál de ellos es más probable que consiga el trabajo?* •

TEXTO 5

a 　　　b 　　　c

• 5. *¿Qué ha pescado?* •

TEXTO 6

a 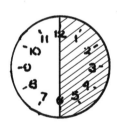　　　b 　　　c

• 6. *¿Cuánto tiempo tiene para comer?* •

TEXTO 7

a 　　　b 　　　c

• 7. *¿Quién trabaja al aire libre?* •

PARTE NÚMERO 3

A continuación oirá un mensaje. Debe oírlo dos veces. Después seleccione la respuesta correcta.

<u>PREGUNTAS</u>

1. Los productos que hoy valen menos son:

    a *El queso manchego*

    b *El jamón serrano y los congelados*

    c *El pescado y el marisco*

2. En los supermercados SOL:

    a *Todos los productos están en oferta.*

    b *Tienen ofertas una vez al mes.*

    c *Los clientes pueden comprar cada semana algunos productos más baratos.*

PARTE NÚMERO 4

A continuación oirá una conversación. Debe oírla dos veces. Después seleccione la respuesta correcta.

<u>PREGUNTAS</u>

1. La señora que va a hacer la entrevista:

    a *No tiene experiencia previa.*

    b *Ha trabajado antes.*

    c *Nunca ha trabajado en Hipermás.*

2. El señor López:

    a *Quiere que la señora Roma empiece a trabajar en la empresa.*

    b *No tiene la intención de contratar a la señora Roma.*

    c *Ha olvidado el contrato de la señora Roma.*

Prueba 4: Conciencia comunicativa y metalingüística

PARTE NÚMERO 1

¿En qué situación diría usted las siguientes frases? Marque con una X la respuesta adecuada.

1. - *¿Me cobra por favor?*
   - a Usted está en un café y quiere pagar.
   - b Usted ha cobrado un dinero que le debían.
   - c Usted quiere trabajar horas extras para ganar más.

2. - *¿En qué va a consistir mi trabajo?*
   - a Usted quiere saber qué ingredientes necesita para una receta.
   - b Usted necesita trabajar a tiempo parcial.
   - c Usted quiere saber qué tiene que hacer para realizar su trabajo.

3. - *Quisiera pedir una conferencia a cobro revertido.*
   - a Usted recibe una llamada del extranjero.
   - b Usted quiere llamar al extranjero gratis.
   - c Usted está fuera del país y quiere llamar a sus padres y que paguen ellos.

4. - *Cada día te retrasas más, esto no puede ser.*
   - a Usted le dice a un empleado suyo que no quiere que llegue tarde.
   - b Usted llega siempre a la hora exacta a trabajar.
   - c A usted no le interesa que sus empleados lleguen pronto.

5. - *Tu trabajo es atender al cliente.*
   - a Usted va a estudiar en una escuela de idiomas.
   - b Usted va a trabajar en un garaje.
   - c Usted va a comprar en unos grandes almacenes.

PARTE NÚMERO 2

A continuación tiene usted 5 frases. En cada frase hay dos palabras en letra negrita que no son adecuadas. Debe usted sustituirlas por alguna de las palabras de la lista que aparece al final.

1. El Ministerio de Economía ha recordado que el descenso del precio del dinero debe ir acompañado ahora por otras actuaciones que **disminuyan** la recuperación económica y la creación de **juegos**, es decir, el control de la inflación y la reducción del déficit público.

A B C D E F G H I J
☐ ☐ ☐ ☐ ☐ ☐ ☐ ☐ ☐ ☐

A B C D E F G H I J
☐ ☐ ☐ ☐ ☐ ☐ ☐ ☐ ☐ ☐

2. El ECU (European Currency Unit) se creó en 1978 por los **patios** comunitarios para avanzar hacia una moneda **diferente**. Ahora, la popularización del término ha hecho que todo el mundo hable de ecus como de pesetas o de dólares.

A B C D E F G H I J
☐ ☐ ☐ ☐ ☐ ☐ ☐ ☐ ☐ ☐

A B C D E F G H I J
☐ ☐ ☐ ☐ ☐ ☐ ☐ ☐ ☐ ☐

3. El efecto más **pequeño** de la actual crisis es el paro. Sus causas son complejas, y algunas de ellas no tienen **relación** a corto plazo. En España, el problema es más grave que en otros países de la Unión Europea.

A B C D E F G H I J
☐ ☐ ☐ ☐ ☐ ☐ ☐ ☐ ☐ ☐

A B C D E F G H I J
☐ ☐ ☐ ☐ ☐ ☐ ☐ ☐ ☐ ☐

4. En España, durante el verano se crean más puestos de trabajo. El sector turístico ofrece varias **oportunidades** para aquellos que quieran un trabajo eventual. Las personas que se dedican a las relaciones públicas, guías turísticos y todo el sector de la hostelería son los **menos** beneficiados.

A B C D E F G H I J
☐ ☐ ☐ ☐ ☐ ☐ ☐ ☐ ☐ ☐

A B C D E F G H I J
☐ ☐ ☐ ☐ ☐ ☐ ☐ ☐ ☐ ☐

5. Hoy en día en España **están** demasiados abogados y psicólogos. Los jóvenes que quieren realizar estas carreras deberían considerar cuáles son sus posibilidades de trabajo cuando **supriman** sus estudios.

A B C D E F G H I J
☐ ☐ ☐ ☐ ☐ ☐ ☐ ☐ ☐ ☐

A B C D E F G H I J
☐ ☐ ☐ ☐ ☐ ☐ ☐ ☐ ☐ ☐

A)común	B)empleo	C)solución	D)grave	E)posibilidades
F)más	G)hay	H)favorezcan	I)países	J)terminen

● ●

PARTE NÚMERO 3

Complete los huecos del texto siguiente con una de las tres opciones que se le proponen al final del ejercicio.

---

24 HORAS A SU SERVICIO

SEUR lleva 50 años ___1___ un servicio de transporte con una característica ___2___ peculiar: la urgencia. Cincuenta años ___3___ de su nacimiento, esa novedosa y original idea se ha consolidado y SEUR se ___4___ en la primera empresa privada en el sector del transporte urgente. La empresa tiene un moderno sistema informático de red ___5___ interconexiona sus 62 delegaciones, sus 300 puntos de distribución y cada uno ___6___ casi 2000 vehículos de reparto. ___7___ la actualidad centra sus esfuerzos en ___8___ la calidad absoluta, que, según su presidente, es posible gracias al grupo de colaboradores que lo rodean, y que han situado a SEUR a mucha distancia de sus competidores. La diversificación actual de SEUR tiene un doble enfoque: dar ___9___ servicio a los clientes, solucionándoles sus problemas, y realizar inversiones que les permitan ser más competitivos y

---

reducir costes. Una de las más ambiciosas inversiones realizadas ha sido la destinada a la creación de una compañía aérea compuesta por 8 aviones. Esta idea ___10___ por la propia necesidad del negocio. Posteriormente SEUR ___11___ que podía rentabilizar los aviones, que ___12___ parados ___13___ el día, desarrollando actividades de carga y pasaje. El presidente tiene muy claro que ___14___ más importante ahora es cubrir todas las exigencias de los empresarios y particulares que hoy y siempre han confiado en SEUR. Con estas ideas ___15___ claras, el futuro de Seur está asegurado.

OPCIONES

1.	a ofrece	b ofreciendo	c ofrecido
2.	a muy	b mucho	c tanto
3.	a desde	b hasta	c después
4.	a ha convertido	b convertía	c convertir
5.	a que	b como	c cual
6.	a del	b de los	c de las
7.	a por	b sin	c en
8.	a consigue	b conseguir	c consigo
9.	a mayor	b ninguno	c cantidad
10.	a surgen	b surgió	c surgirá
11.	a verá	b ven	c vio
12.	a estaban	b estuvo	c han estado
13.	a durante	b para	c entre
14.	a lo	b la	c le
15.	a tan	b tanta	c tanto

Prueba 5: Expresión e interacción orales

PARTE NÚMERO 1

Entrevista con el examinador

Practique una entrevista contestando a preguntas sobre sus propios datos personales, sus actividades cotidianas, el mundo del trabajo, sus gustos y preferencias. Utilice como guía las preguntas que aparecen a continuación.

1. ¿A qué se dedica usted?

2. ¿Le gusta su trabajo? ¿Qué es lo que más le gusta de su trabajo? ¿Y lo que menos le gusta?

3. ¿Qué otros trabajos le gustaría hacer?

4. ¿Qué es para usted un trabajo interesante?

5. ¿Le va a ser útil el español en su trabajo?

PARTE NÚMERO 2

Se le plantean unas situaciones comunicativas, en las que usted deberá decir frases adecuadas, simulando desempeñar los siguientes papeles.

1. Usted trabaja en la oficina de turismo de su país y una persona española va a pedirle información. Dele una información general sobre los lugares que debe visitar.

2. Usted tiene un problema con el agua en el baño de su casa. Llame a un fontanero.

3. Usted quiere trabajar en una empresa y le van a hacer una pequeña entrevista sobre su experiencia profesional.

4. Usted tiene una entrevista de trabajo con unas personas muy importantes. Ese día usted está enfermo y además tiene mucha fiebre y no puede ir. Discúlpese llamando por teléfono.

5. Una persona española quiere dar clases de español en su país. ¿Qué le aconsejaría Ud.?

• •

PARTE NÚMERO 3

Expresión oral sobre un soporte gráfico

Observe con atención las tres situaciones que se le presentan a continuación.

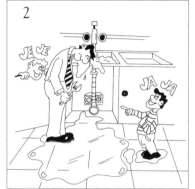
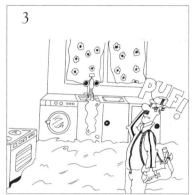

1) Describa: El contenido de las viñetas. Ponga especial atención en los lugares, cómo son, qué hay en ellos. Hable de los personajes, de lo que hacen y de su trabajo.

2) Narre: Lo que ocurre en las tres situaciones.

Notas

El ocio

Prueba 1: Interpretación de textos escritos

PARTE NÚMERO 1

Lea con atención el siguiente texto. A continuación encontrará tres preguntas. Indique si son verdaderas (V) o falsas (F) de acuerdo con el contenido del artículo leído.

LA FERIA DEL LIBRO

Llega la primavera y, con ella, uno de los acontecimientos culturales más esperados en Madrid. El Parque del Retiro, entre sus enormes espacios verdes, acoge a centenares de expositores, libreros y editores, que se dan cita cada año para ofrecer miles de publicaciones. Aquí vienen todos los públicos, desde los más pequeños hasta los más viejos, desde los más eruditos hasta los buscadores del último cómic. El descuento del 10% en las compras y, en especial, la presencia de numerosos autores que firman sus obras atraen a cientos de miles de visitantes y paseantes que, de pronto, sienten la necesidad de comprar cultura para ellos, para su familia y para regalar a los amigos. El éxito de la feria, por el número de personas que se acercan y por la cantidad de libros que se venden, no se refleja en las estadísticas sobre el número de lectores de este país, bastante alejado todavía del de varios países vecinos.

(Adaptado de **EL MUNDO**. Mayo 1994)

<u>PREGUNTAS</u>

V.   F.

1. *Según este artículo, la Feria del Libro de Madrid es una buena oportunidad para comprar libros que no se encuentran en ninguna librería.* ☐ ☐

2. *En la Feria del Libro nuestros libros pueden tener una dedicatoria del propio autor.* ☐ ☐

3. *En la Feria del Libro encontramos más libreros, editores y autores que compradores de libros.* ☐ ☐

PARTE NÚMERO 2

Lea con atención cada uno de los siguientes textos y las preguntas que le siguen. Marque con una X la respuesta correcta.

• TEXTO 1

El ocio y la pereza

En nuestra sociedad existe una cultura del ocio, dinámica y creadora, hasta tal punto que los periódicos y revistas suelen publicar, los fines de semana, una gran oferta de actividades para llevar a cabo en el tiempo libre. El ocio nada tiene que ver con la pereza.

La cultura del ocio:

a. *Es para los perezosos.*

b. *Implica actividad e iniciativa.*

c. *Se practica sólo los fines de semana.*

• TEXTO 2

LOS DOMINGUEROS

Mucha gente que vive en las grandes ciudades se siente ansiosa por salir a disfrutar de la naturaleza cuando no trabaja. Los domingos, las playas y la sierra se encuentran llenas de familias enteras que buscan pasar el día en un ambiente diferente, sobre todo si hace buen tiempo. Los atascos son habituales cuando cae la tarde.

Los domingueros:

[a] *Aprovechan las vacaciones para ir a pasar unos días en la playa.*

[b] *Disfrutan viviendo en las carreteras.*

[c] *Se encuentran con largas caravanas para volver a la ciudad.*

• TEXTO 3

VIAJAR EN VACACIONES

Los españoles están cada vez más interesados en el turismo ecológico. Las familias empiezan a pasar sus vacaciones en granjas y casas de campo, lo que les permite gozar de una gran tranquilidad en contacto con la naturaleza.

En vacaciones, algunos españoles:

[a] *Se dedican a limpiar y cuidar el campo.*

[b] *Alquilan casas fuera de las ciudades.*

[c] *Buscan emociones fuertes en contacto con la naturaleza.*

• TEXTO 4

CAFETERÍA "EL COMERCIO"

ESTE ESTABLECIMIENTO SE RESERVA EL DERECHO DE ADMISIÓN

Según este anuncio, en la cafetería:

[a] *No se permite la entrada de niños.*

[b] *Sólo se permite la entrada a los socios.*

[c] *Pueden negar la entrada a alguna persona.*

•TEXTO 5

QUEDARSE EN CASA

Después de una semana de trabajo y actividad continua, hay quienes prefieren quedarse en casa, durmiendo hasta tarde y viendo la televisión. Suelen alquilarse unas cuantas películas de vídeo y pasarse las horas de descanso en el sofá.

Durante el fin de semana, algunas personas:

[a] *Se pasan todo el día durmiendo.*

[b] *Están mucho tiempo frente al televisor.*

[c] *Ven películas en el cine.*

•TEXTO 6

 ### PARQUE DE ATRACCIONES

AVISO DE CAMBIO DE HORARIO

Desde el 15 de junio hasta el 15 de setiembre el Parque y todas sus atracciones permanecerán abiertos todos los días laborables de 12 a 24 h. Los viernes y sábados se amplía el horario hasta las 2 de la madrugada.

El Parque de Atracciones informa a los usuarios de que, en verano:

[a] *No permanecerá abierto todos los días.*

[b] *Permanecerá abierto más tiempo algunos días.*

[c] *Cerrará más temprano.*

•TEXTO 7

 Susana:
Esta noche he quedado con Luisa para ir al cine Capitol a ver "Luces en la ciudad". Si te apetece, nos puedes encontrar en el bar que está al lado del cine a las 9.30.

Carmen

Según la nota que ha escrito Carmen, Susana:

[a] *No puede ir al cine esa noche con Carmen y Luisa.*

[b] *No sabe dónde puede encontrar a Carmen y Luisa.*

[c] *Sabe dónde han quedado Carmen y Luisa.*

PARTE NÚMERO 3

Lea con atención las siguientes ofertas culturales para el mes de julio que propone una revista. A continuación encontrará preguntas sobre el texto. Marque con una X la opción correcta.

AGENDA CULTURAL

FESTIVAL DE JAZZ DE VITORIA: como es natural, Vitoria combina calidad con variedad. Este año reservará espacios para la música brasileña y para la fusión. Tendrá al mejor emisario del *blues*, B. King, y a un inmejorable representante del mundo de las grandes orquestas. Contará con el cuarteto del saxofonista Joe Kid, y con el trío del pianista Barron. El concierto más lujoso tendrá lugar al final del festival con Natalie Cole. Vitoria. Del 12 al 16 de julio. Información en el teléfono (945) 14 19 19.

DANZA DEL NUEVO MUNDO: en el Teatro de la Maestranza de Sevilla, extraordinaria representación de las mejores muestras de ballet clásico y moderno, a cargo de las compañías nacionales de España y de varios países de América. Oportunidad única para contemplar a primerísimas figuras: Pedro Boca y Amelia Argüelles. Sevilla. Del 18 al 25 de julio. Reservas por teléfono al (917) 23 23 23. Tarjetas de crédito.

COMEDIANTES: el Festival de teatro del Mediterráneo se abre con la obra "La fuerza del amor" de Comediantes. Más tarde estarán en escena dos clásicos de Lorca, a cargo de la Compañía de Teatro de Granada y los trabajos de los grupos de teatro experimental de México y Colombia. Valencia. Del 15 al 23 de julio. Información y reservas en el teléfono (998) 10 10 10.

FOTOGRAFÍAS INÉDITAS: una importante colección de fotos para los amantes del cine. Todo lo que no ha podido ver de las películas de grandes directores españoles (Almodóvar, Trueba, Soler, García del Olmo). Las Salas Séptimo Arte exponen en sus salones fotos de personajes y situaciones realizadas antes y durante la filmación. Madrid. Julio y agosto. Horario de 18 a 21 h.

ÓPERA ESTIVAL: en el Teatro Romano de Mérida estarán las obras más clásicas, empezando por "Marina" y "El gato montés" hasta "El barbero de Sevilla" y "La traviata". Ambiente espectacular en entorno natural al aire libre. Una buena ocasión para los que se acercan por primera vez a este espectáculo. Información y reservas en Mérida, llamando al teléfono (976) 43 44 45. Del 20 al 30 de julio.

ROCK PARA MUY ROCKEROS: extraordinario desfile de grupos y solistas españoles y extranjeros. Todos los viernes y sábados, tres grupos en el escenario. Desde las 21 h. hasta la madrugada, encontrará buen ambiente y entusiasmo en el Parque de Atracciones de Madrid. Todo el verano. Teléfono de información para cartelera (900) 32 43 11.

CINE DE TERROR: lo mejor del cine negro actual tiene su cita en la Filmoteca Bogart de Málaga. Serán cinco días de angustia y placer en la sala, y de interesantes discusiones en los seminarios paralelos, que contarán con la presencia de críticos especializados, guionistas y directores del género. Málaga. Del 17 al 22 de julio. Información en el teléfono (902) 12 34 56.

---

1. Por fin ha llegado el verano y puede darse el gusto de ver sus películas preferidas, las del cine negro. Para ello tendrá que tener las vacaciones:

      ☐ a *La primera quincena de agosto*

      ☐ b *La segunda quincena de julio*

      ☐ c *La primera quincena de julio*

2. Siempre ha querido asistir a la ópera, pero nunca ha podido hacerlo. Para ver este espectáculo, tiene que ir:

      ☐ a *A Madrid*

      ☐ b *A Málaga*

      ☐ c *A Mérida*

Certificado inicial de E.L.E.

3. Usted es una joven amante de la música moderna y popular, por lo que elegirá para divertirse:

- [a] *Danza del Nuevo Mundo*
- [b] *Comediantes*
- [c] *Rock para muy rockeros*

4. Si tiene interés especial en la danza clásica le convendrá pasar unos días de vacaciones:

- [a] *En Sevilla*
- [b] *En Vitoria*
- [c] *En Madrid*

5. Le gusta mucho el cine, y todo lo que está relacionado con él: producción, dirección, filmación. Por ello, le interesa especialmente poder ver:

- [a] *Comediantes*
- [b] *Fotografías inéditas*
- [c] *Cine de terror*

6. Tiene una gran pasión por el teatro. Uno de sus autores favoritos es García Lorca. Para verlo representado tendrá que asistir a:

- [a] *Ópera estival*
- [b] *Comediantes*
- [c] *Fotos inéditas*

7. Es aficionado al ballet y siempre ha deseado ver bailar en directo a las primeras figuras internacionales. Le convendrá tener vacaciones:

- [a] *La primera semana de julio*
- [b] *Del 8 al 18 de julio*
- [c] *Del 17 al 26 de julio*

8. Es estudiante de piano y quiere perfeccionar sus conocimientos sobre las nuevas tendencias. Para ello le conviene pasar unos días:

- [a] *En Madrid*
- [b] *En Vitoria*
- [c] *En Valencia*

9. No sabe si puede tener vacaciones en julio o en agosto, y además quiere aprovecharlas para su afición preferida, el cine. De estas propuestas, la preferida es:

- [a] *Ópera estival*
- [b] *Fotografías inéditas*
- [c] *Rock para muy rockeros*

10. Siempre dedica una parte de sus vacaciones a los conciertos, en especial con saxofonistas. Este verano le convendrá pasar unos días en:

- [a] *Mérida*
- [b] *Vitoria*
- [c] *Madrid*

Prueba 2: Producción de textos escritos

PARTE NÚMERO 1

Usted quiere recibir información gratuita sobre las actividades para el tiempo libre que se ofrecen en la Comunidad de La Rioja. Rellene este formulario para mandarlo a la Consejería de la Juventud.

ACTIVIDADES PARA EL TIEMPO LIBRE
CONSEJERÍA DE LA JUVENTUD

APELLIDOS: ....

NOMBRE: ....

EDAD: ....

SEXO: ....

NACIONALIDAD: ....

DOMICILIO: ....

ESTUDIOS: ....

TRABAJO: ....

¿FORMA PARTE DE ALGÚN GRUPO O ASOCIACIÓN? ¿DE CUÁL? ....
....

INDIQUE CUÁL DE ESTAS ACTIVIDADES PREFIERE EN SU TIEMPO LIBRE Y ESPECI-
FIQUE LO QUE LE INTERESA MÁS:

        A) DEPORTES

        B) BAILES Y DISCOTECAS

        C) TERTULIAS

        D) TELEVISIÓN

        E) OTRAS

        ....

EXPLIQUE BREVEMENTE POR QUÉ SE DIRIGE A NOSOTROS:
....
....

¿CUÁNTO TIEMPO DEDICA AL OCIO POR SEMANA? ....

¿CÓMO SE HA ENTERADO DE ESTE SERVICIO? ....

PARTE NÚMERO 2

Usted quiere ponerse en contacto con personas que tengan su misma afición y, para eso, escribe una carta que se incluirá en la sección correspondiente de la revista AMISTAD. Le proponemos el comienzo y el final, para que usted la complete (unas 100 palabras).

Compañero de aficiones:

*Soy un entusiasta de*_____*pero no conozco a nadie que se dedique a esto.* _____

_____

_____

_____

_____

_____

Espero ponerme en contacto contigo dentro de muy poco tiempo.

    Hasta entonces.

Certificado inicial de E.L.E.

Prueba 3: Interpretación de textos orales

PARTE NÚMERO 1

A continuación oirá diez diálogos breves. Debe oírlos dos veces. Una persona habla con otra, y ésta última le responde de tres maneras distintas. Únicamente una de las tres respuestas es adecuada.

1. Un señor habla con una señora en la puerta de un multicine.

    A. – _____
    B. – [a] *No señor, yo no soy la última.*
         [b] *Para la sala dos es la otra cola, ésta es para la uno.*
         [c] *Sí señor, ésta es la cola.*

2. Una chica habla con un chico.

    A. – _____
    B. – [a] *No estoy seguro, pero creo que es carísimo.*
         [b] *No, no soporto la ópera, me da dolor de cabeza.*
         [c] *Sí, ser cantante de ópera cuesta muchísimo.*

3. Un señor habla con su mujer.

    A. – _____
    B. – [a] *No, no me gustaría actuar en una obra de teatro.*
         [b] *Sí, y me ha regalado dos entradas.*
         [c] *Sí, claro que me apetece ir al teatro.*

4. Una señora habla con su hijo.

    A. – _____
    B. – [a] *Voy a comprar dos entradas para un concierto de guitarra.*
         [b] *Nunca he sabido tocar la guitarra.*
         [c] *La guitarra es de María, me la ha prestado.*

5. Un señor habla con una chica joven.

    A. – _____
    B. – [a] *Lo siento, nunca he leído una obra de teatro.*
         [b] *El teatro tiene cuatro pisos.*
         [c] *Lo siento, no soy de aquí.*

6. Un chico habla con una bibliotecaria.

    A. – _____
    B. – [a] *Los libros son carísimos.*
         [b] *Dos semanas.*
         [c] *Hace un mes que no leo nada.*

7. Una señora habla con su marido.

    A. – _____
    B. – [a] *Es una buena idea, creo que les gustará. Iremos el domingo.*
         [b] *No, en casa no podemos tener animales.*
         [c] *Sí, claro, ¿quién tiene hambre?*

8. Un chico habla con el director de una orquesta.

    A. – _____
    B. – [a] *Debes aprender a tocar el piano.*
         [b] *Nunca pude aprender a tocar el piano.*
         [c] *El de piano es el jueves. El de violín el lunes.*

9. Un chico habla con una amiga.

    A. – _____
    B. – [a] *Pues, claro. Hoy he dibujado un edificio.*
         [b] *Pues, claro. ¿Cómo vas a aprender si no lees?*
         [c] *Nunca leo el periódico, prefiero ver el telediario.*

10. Una chica habla con un amigo.

    A. – _____
    B. – [a] *La verdad es que la política no me interesa, además tengo que estudiar para un examen.*
         [b] *Sí, voy a ir con mi madre al Museo Arqueológico.*
         [c] *No puedo llamarte mañana, te llamaré pasado mañana, ¿vale?*

PARTE NÚMERO 2

A continuación oirá siete textos breves. Debe oírlos dos veces. Para cada texto se le hará una pregunta. Elija la respuesta adecuada fijándose en las imágenes de cada texto.

TEXTO 1

a
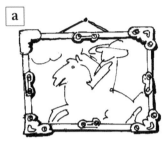

b

c

• 1. *¿Qué han hecho durante toda la mañana?* •

TEXTO 2

a

b

c

• 2. *¿Qué tipo de acontecimiento cultural organiza la Fundación Miró?* •

TEXTO 3

a

b
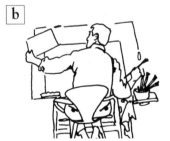

c

• 3. *¿Qué actividad es común en todos estos personajes?* •

Certificado inicial de E.L.E.

TEXTO 4

a

b

c

• 4. ¿Cuál es la relación de Javier con la música? •

TEXTO 5

a
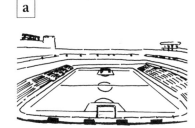

b

c

• 5. ¿Dónde va a cantar el popular cantante Juan Iglesias? •

TEXTO 6

a

b

c

• 6. ¿Qué restaura Marcos Puente? •

TEXTO 7

a

b

c

• 7. ¿Adónde cree usted que va a ir este fin de semana? •

PARTE NÚMERO 3

A continuación oirá por los altavoces del aeropuerto un mensaje. Debe oírlo dos veces. Después seleccione la respuesta correcta.

<u>PREGUNTAS</u>

1. El vuelo AVISOL 547:

    [a] *Ha sido cancelado definitivamente debido al tráfico aéreo.*

    [b] *No saldrá hasta que se despeje el tráfico aéreo.*

    [c] *Efectuará inmediatamente su embarque por problemas de tráfico aéreo.*

2. El vuelo AVISOL 547 se anunciará:

    [a] *Por escrito*

    [b] *Después del embarque*

    [c] *Por los altavoces*

PARTE NÚMERO 4

A continuación oirá una conversación. Debe oírla dos veces. Después seleccione la respuesta correcta.

<u>PREGUNTAS</u>

Ana y Jaime han visto una película:

    [a] *Muy divertida y animada*

    [b] *De arte y ensayo, lenta y larga*

    [c] *De dibujos animados*

A Jaime le gustan las películas:

    [a] *De actores conocidos*

    [b] *Musicales*

    [c] *Con mucha acción*

Ana cree que a todos los chicos les gusta:

    [a] *Ver películas en blanco y negro.*

    [b] *Ver películas de los años cuarenta.*

    [c] *Ver películas del oeste, policíacas y de acción.*

Prueba 4: Conciencia comunicativa y metalingüística

PARTE NÚMERO 1

A continuación se le ofrecen cinco frases, con tres opciones de las que sólo una significa lo mismo.

1. - *Lo que más me relaja es una película de amor y lujo.*
   - [a] Está cansado de ver películas de amores.
   - [b] Le descansa ver películas de amores.
   - [c] Le relaja el lujo y ver películas.

2. - *Cuando voy al teatro me gusta estar en una butaca central de una de las tres primeras filas.*
   - [a] En el teatro prefiere estar al final.
   - [b] En el teatro le importa el lugar en el que se sienta.
   - [c] En el teatro quiere una butaca en el extremo de la tercera fila.

3. - *Me dan mucha envidia los que saben bailar.*
   - [a] Sabe bailar, pero no puede.
   - [b] Le gustaría saber bailar.
   - [c] Los que saben bailar le molestan.

4. - *¿Qué te parece si vamos al cine el miércoles, que es más barato?*
   - [a] Le proponen ir al cine.
   - [b] Le invitaron la semana pasada a ir al cine.
   - [c] Le ofrecen un descuento en el precio del cine.

5. - *Vengo a cambiar este disco. Está estropeado y tiene unos ruidos extraños.*
   - [a] El disco está en malas condiciones y quiere otro igual.
   - [b] El disco es extraño y quiere otro diferente.
   - [c] El disco tiene muchos ruidos y no lo quiere.

PARTE NÚMERO 2

A continuación tiene usted 10 frases. En cada frase hay una palabra en letra negrita que no es adecuada. Debe usted sustituirla por alguna de las palabras que aparece al final.

1. El Festival de Teatro de Almagro presentará veintiuna obras de teatro, *cada una* de ellas extranjeras y dieciocho españolas.

   A B C D E F G H I J
   ☐ ☐ ☐ ☐ ☐ ☐ ☐ ☐ ☐ ☐

2. Desde ahora hay que *cantar* para poder visitar los museos estatales.

   A B C D E F G H I J
   ☐ ☐ ☐ ☐ ☐ ☐ ☐ ☐ ☐ ☐

3. A. – ¿Te apetece ir al concierto?
   B. – Desde luego que sí, ya sabes que me *horroriza.*

   A B C D E F G H I J
   ☐ ☐ ☐ ☐ ☐ ☐ ☐ ☐ ☐ ☐

4. A. – Me encantaría ir al cine al *campo* libre.
   B. – Pues a mí no, hace un frío espantoso.

   A B C D E F G H I J
   ☐ ☐ ☐ ☐ ☐ ☐ ☐ ☐ ☐ ☐

5. Una buena conferencia puede ser *muy* interesante como un libro.

   A B C D E F G H I J
   ☐ ☐ ☐ ☐ ☐ ☐ ☐ ☐ ☐ ☐

6. A. – ¿Prefieres ir a la sesión de tarde o a la de noche?
   B. – A mí me *espanta* más salir de noche.

   A B C D E F G H I J
   ☐ ☐ ☐ ☐ ☐ ☐ ☐ ☐ ☐ ☐

7. Ser bailarina es muy duro. Pasan **pocas** horas ensayando, tienen que comer poco y dormir mucho.

A B C D E F G H I J
☐ ☐ ☐ ☐ ☐ ☐ ☐ ☐ ☐ ☐

8. *El lago de los cisnes* es un **libro** mundialmente conocido.

A B C D E F G H I J
☐ ☐ ☐ ☐ ☐ ☐ ☐ ☐ ☐ ☐

9. Las fiestas populares son un atractivo de España, **como** una manifestación cultural.

A B C D E F G H I J
☐ ☐ ☐ ☐ ☐ ☐ ☐ ☐ ☐ ☐

10. A: ¿A ti te gustan los toros?
    B: A mí no, pero hay muchísimos aficionados y se **vacían** las plazas.

A B C D E F G H I J
☐ ☐ ☐ ☐ ☐ ☐ ☐ ☐ ☐ ☐

A) *aire*	B) *tres*	C) *apasiona*	D) *gusta*	E) *además de*
F) *pagar*	G) *miles de*	H) *llenan*	I) *espectáculo*	J) *tan*

● ●

PARTE NÚMERO 3

Complete los huecos del texto siguiente con una de las tres opciones que se le proponen al final del ejercicio.

A: –¿Con qué frecuencia va ___1___ al cine?

B: –Ahora voy bastante, dos veces ___2___ semana o algo así.

A: –¿Y antes?

B: –Antes ___3___, desgraciadamente, muy poco. Si iba una vez al mes ya ___4___ contento.

A: –¿Por qué? ¿Era por razones económicas?

B: –No, no sólo económicas. De 1981 a 1993 ___5___ en el teatro y el horario de trabajo era el mismo que el de los cines.

A: –¿Pero el cine le gusta desde siempre?

B: –Sí, muchísimo. Si ahora soy crítico de cine es porque durante ___6___ mi juventud leí mucho sobre cine. Y desde que no trabajo en el teatro voy al cine todo ___7___ puedo.

A: –¿Cree usted que los cines se están quedando vacíos porque la gente ___8___ las películas en el vídeo, en su casa?

Certificado inicial de E.L.E.

B: —No, no lo creo, __9__ verdad. El cine en la pequeña pantalla pierde mucho. No se puede comparar una cosa con la otra. El cine es casi un rito. __10__ que salir de casa, llegar al cine y una vez allí empieza el espectáculo. Cuando una persona se __11__ en la butaca __12__ cine un mundo diferente se __13__ ante sus ojos. La grandiosidad del cine no se puede conseguir en la pequeña pantalla. En serio, ese efecto, esa sensación no se puede lograr __14__ en el cine, en la gran pantalla. Además, los efectos especiales de la gran pantalla __15__ únicos, insuperables.

OPCIONES

	a	b	c
1.	a tú	b usted	c vosotros
2.	a por	b a	c la
3.	a fui	b iba	c voy
4.	a era	b estaba	c estuve
5.	a trabajaba	b trabajo	c trabajé
6.	a toda	b todo	c todos
7.	a los que	b la que	c lo que
8.	a ve	b ven	c vean
9.	a por	b de	c para
10.	a hay	b había	c hubo
11.	a acuesta	b levanta	c sienta
12.	a de	b el	c del
13.	a abre	b abro	c abren
14.	a por	b más que	c más de
15.	a están	b son	c ser

Prueba 5: Expresión e interacción orales

PARTE NÚMERO 1

Entrevista con el examinador

Practique una entrevista contestando a preguntas sobre sus actividades cotidianas, el ocio, sus gustos y preferencias. Utilice como guía las preguntas que aparecen a continuación.

1. ¿Le gusta el cine? ¿Qué tipo de películas le gustan ? ¿Qué películas ha visto últimamente?

2. ¿Qué le gusta hacer durante su tiempo libre?

3. ¿Cuáles son las cosas que más le divierte hacer?

4. ¿Le gustan los conciertos? ¿De qué tipo?

5. ¿Qué tipo de cosas le gusta hacer durante las vacaciones? ¿Le gusta viajar?

PARTE NÚMERO 2

Se le plantean unas situaciones comunicativas, en las que usted deberá decir frases adecuadas, simulando desempeñar los siguientes papeles.

1. Usted quiere reservar una mesa en un restaurante. Llame por teléfono.

2. Usted quiere viajar al norte de España y no sabe qué medio de transporte utilizar. Pregunte.

3. Usted acaba de regresar de un viaje. Cuente adónde fue y qué hizo.

4. Usted está en la cola de un teatro para sacar entradas y unas personas quieren ponerse delante de usted. Proteste.

5. Usted está en el cine, está a punto de entrar y no encuentra su entrada. Explíquese.

PARTE NÚMERO 3

Expresión oral sobre un soporte gráfico

Observe con atención las tres situaciones que se le presentan a continuación.

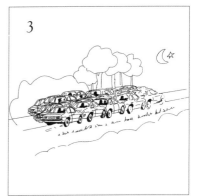

1) Describa: El contenido de las viñetas. Ponga especial atención en los lugares, cómo son, qué hay en ellos. Hable de los personajes, de lo que hacen y de su trabajo.

2) Narre: Lo que ocurre en las tres situaciones.

Notas

La salud y el cuidado del cuerpo

Prueba 1: Interpretación de textos escritos

PARTE NÚMERO 1

Lea con atención el siguiente texto. A continuación encontrará tres preguntas. Indique si son verdaderas (V) o falsas (F) de acuerdo con el contenido del artículo leído.

Los errores más frecuentes en la alimentación

La clave de una buena alimentación está en la elección y combinación de los alimentos. Ante la relación de la dieta con las llamadas "enfermedades de la civilización", los consumidores reclaman el derecho a estar bien informados para no equivocarse. Algunos de los errores más frecuentes en la dieta que aún podemos corregir tienen que ver con el consumo de pan, carne, grasas y azúcar. Ahora realizamos menos esfuerzo físico en nuestra actividad cotidiana, debido a la mecanización del trabajo pesado. Si necesitamos gastar menos energía, lo más recomendable es consumir una buena cantidad de productos vegetales y evitar el abuso de la carne y demás alimentos ricos en grasas.

(Adaptado de *INTEGRAL*. Junio 1994)

PREGUNTAS

           V.   F.

1. Según el texto, para una buena dieta es más importante la cantidad de alimentos que su adecuada selección. ☐ ☐

2. Los consumidores no necesitan información sobre los alimentos adecuados para una vida sana. ☐ ☐

3. Lo mejor para la salud es comer alimentos variados, y en especial, frutas y hortalizas. ☐ ☐

PARTE NÚMERO 2

Lea con atención cada uno de los textos siguientes. Marque con una X la respuesta correcta de acuerdo con el texto.

• TEXTO 1

> **¿Quiere vestir dos tallas menos?**
> **¿Su propósito es recuperar la figura para este verano?**
> Tenemos la solución. ¡Llámenos!
> Teléfono 3456789

En este anuncio le ofrecen:

     a *Un método para cuidar su salud*

     b *Un sistema para adelgazar*

     c *Un sistema para pasar un verano feliz*

• TEXTO 2

Asociaciones de consumidores

Varias organizaciones de consumidores han presentado una denuncia contra las empresas que hacen publicidad engañosa relacionada con la belleza y el cuidado del cuerpo.

Esta noticia del periódico informa sobre:

- a Los consumidores que quieren cuidar su cuerpo.
- b Los productos de belleza que se consumen.
- c Los anuncios que no dicen toda la verdad sobre los tratamientos de belleza.

• TEXTO 3

GIMNASIO ARGÜELLES
Sauna. Piscina climatizada. Aparatos.
Gimnasia con monitores cada hora.
Abierto todos los días, excepto domingos.
De 8h. a 22h. Teléfono 9876543.

En este gimnasio le ofrecen:

- a Un horario flexible para hacer una actividad física.
- b Hacer gimnasia solo.
- c Hacer una actividad física los domingos.

• TEXTO 4

Herbolario *La Naturaleza*
Si quiere recuperar una excelente salud y cuidar su cuerpo, visite nuestra tienda. Le aconsejaremos lo mejor para usted y su familia. Gran variedad en miel, cereales y cosmética natural. Calle de la Iglesia, 34. Sevilla. Tel. 234567.

En esta tienda le ofrecen:

- a Una variedad especial de té
- b Consejos para divertirse con la familia de forma sana
- c Productos naturales variados

• TEXTO 5

> Mamá:
> Voy al gimnasio con Sara. No me
> esperes para cenar. Ya sabes que
> ahora sólo puedo comer ensaladas.
> Marta

Marta le dice a su madre que:

[a] *Va a cenar con Sara.*

[b] *Ha empezado un régimen para adelgazar.*

[c] *Lo que más le gusta es cenar ensaladas.*

• TEXTO 6

AGRUPACIÓN NATURISTA COSTA BRAVA

Para mejorar el rendimiento físico y el equilibrio mental. Ejercicios en ambiente natural, durante los fines de semana, a partir de junio. Imprescindible saber nadar. Actividades gratuitas. Tfno. 3456788. Llamar de 18h. a 22h.

Esta agrupación se dedica a:

[a] *Organizar excursiones todos los fines de semana del año.*

[b] *Enseñar a nadar para relajarse y aumentar el rendimiento físico.*

[c] *Realizar actividades de fin de semana, especialmente en el agua, para estar en forma física y mental.*

• TEXTO 7

BEBA LECHE: UNA FUENTE DE ENERGÍA

Cada español bebe aproximadamente diez litros de leche al mes. Este alimento contribuye al crecimiento y a la formación de los músculos. Beber un vaso de leche templada antes de acostarse es un buen sedante para el sistema nervioso.

Según esta noticia, la leche es un alimento:

[a] *Necesario para el crecimiento*

[b] *Sedante a todas horas del día*

[c] *Más nutritivo si está templada.*

PARTE NÚMERO 3

Lea atentamente estos diez consejos para llevar una vida sana. A continuación encontrará preguntas sobre el texto. Marque con una X la opción correcta.

Primero: El tópico de "mente sana, cuerpo sano", como casi todos los tópicos, tiene mucho de cierto. Una vida sedentaria es una excelente manera de malograr la salud. Tampoco es aconsejable matarse haciendo gimnasia.

Segundo: También hay que prestarle atención a la mente. Una actividad mental continuada es muy estimulante y saludable. La pereza mental puede ser enfermiza.

Tercero: No somos máquinas. Trabajar es sano, dentro de unos límites prudentes. Es imprescindible descansar lo suficiente y no maltratarse.

Cuarto: La obesidad no sólo va contra la estética, sino sobre todo contra las más elementales normas de salud y bienestar. Lo más difícil es quitar los kilos acumulados. Por ello, mejor es no ganarlos.

Quinto: El alcohol y el tabaco están completamente prohibidos, así como el abuso de los estimulantes como el café. Un vasito de vino en las comidas puede ser sano.

Sexto: Las revisiones médicas periódicas son una buena medida preventiva. Son poco habituales entre nosotros pero es bueno empezar a pensar en ellas.

Séptimo: La alimentación debe ser sana y variada. No suele haber alimentos malos, sino excesos imprudentes. Lo mejor es comer de todo en una proporción equilibrada.

Octavo: Está demostrado que el optimismo y el buen ánimo son garantías de una vida larga y fructífera. Aprovechar lo mejor de la vida es también aprovecharla a tope.

Noveno: Tener amigos y amores es agradable y saludable. No pongas frenos a tu afectividad. Comunícate mucho y lo mejor que puedas.

Décimo: Sobre todo, no te obsesiones con la salud, que el principal objetivo es vivir. Estar sano para vivir, no vivir para estar sano.

---

1. Para llevar una vida sana es conveniente:

   a *Comer mucho de lo mismo.*

   b *Comer por las mañanas.*

   c *Comer un poco de todo.*

2. La expresión de los sentimientos es buena para la salud, según el consejo:

   a *Segundo*

   b *Noveno*

   c *Décimo*

Certificado inicial de E.L.E.

3. Estar muy gordo no es agradable ni bueno para la salud, según el consejo:

    a *Noveno*

    b *Séptimo*

    c *Cuarto*

4. Para sentirse bien conviene cuidar:

    a *Tanto el cuerpo como la mente*

    b *Más la mente que el cuerpo*

    c *Más el cuerpo que la mente*

5. Según estos consejos, es necesario:

    a *Pensar insistentemente en la salud.*

    b *No pensar nada en la salud.*

    c *Pensar en la salud y disfrutar de la vida.*

6. Uno de los consejos indica que hay que evitar los estimulantes:

    a *El primero*

    b *El quinto*

    c *El séptimo*

7. Elija la frase correcta, según lo que ha leído:

    a *La actividad mental cansa mucho.*

    b *La actividad mental es un buen estimulante.*

    c *La actividad mental produce pereza.*

8. Conseguir el equilibrio entre los periodos de actividad y de reposo es lo más adecuado, según el consejo:

    a *Segundo*

    b *Tercero*

    c *Octavo*

9. Según el texto, una buena forma de cuidar la salud es:

    a *Hacerse un estudio médico periódicamente.*

    b *Hacerse un seguro médico preventivo.*

    c *Hacerse un régimen previo de horarios y comidas.*

10. La actividad física y el deporte:

    a *Nunca son excesivos para la vida sana.*

    b *Nunca deben practicarse.*

    c *Nunca deben practicarse con exceso.*

Prueba 2: Producción de textos escritos

PARTE NÚMERO 1

Escriba las cinco recomendaciones que le parezcan más importantes para una dieta sana.

RECOMENDACIONES PARA UNA DIETA SANA

1...
....
2...
....
3...
....
4...
....
5...
....

PARTE NÚMERO 2

Le presentamos dos opciones que puede elegir.

A) Escriba una carta a un amigo español y describa los deportes que se practican en su ciudad. (100 palabras, aproximadamente)

B) Escriba algunas ventajas y algunos inconvenientes de la vida en la ciudad y de la vida en el campo. (100 palabras, aproximadamente)

Certificado inicial de E.L.E.

Prueba 3: Interpretación de textos orales

PARTE NÚMERO 1

A continuación oirá diez diálogos breves. Debe oírlos dos veces. Una persona habla con otra, y ésta última le responde de tres maneras distintas. Únicamente una de las tres respuestas es adecuada.

1. Una chica habla con un chico.

A. – ————
B. – a *Pues ven a mi casa.*
     b *Es que deberías hacer ejercicio.*
     c *Pues, cómprate una moto.*

2. Una señora habla con un señor.

A. – ————
B. – a *Pues algunos sí y otros no, depende.*
     b *A mí me encanta el pescado ¿y a ti?*
     c *Hoy he comprado pescado fresco.*

3. Una chica habla con su madre.

A. – ————
B. – a *No, ya no tengo dolor de estómago.*
     b *Después de cenar nos vamos al cine.*
     c *No me extraña, es que comes poquísimo.*

4. Un chico habla con una chica.

A. – ————
B. – a *¿Sí? ¿Y quién va a cocinar?*
     b *¿Quién se ha comido la paella?*
     c *¿A quién le has dado la paella?*

5. Un señor habla con una señora.

A. – ————
B. – a *Sí, me he puesto un vestido elegante para la ocasión.*
     b *Yo he puesto el paquete encima de la mesa.*
     c *Sí señor, y deme también un kilo de tomates para ensalada.*

6. Un chico habla con otro chico.

A. – ————
B. – a *Si quieres podemos jugar a las cartas.*
     b *No sé, hace mucho tiempo que no lo veo.*
     c *Fenomenal, así podremos ir juntos.*

7. Un señor habla con otro señor.

A. – ————
B. – a *No, gracias, ya he comido demasiado, pero está riquísimo.*
     b *Sí, vi el partido por pura casualidad.*
     c *La verdad es que sí, hoy hace mucho más frío que ayer.*

8. Un chico habla con su hermana.

A. – ————
B. – a *No gracias, ya he cenado.*
     b *He preparado una ensalada tropical y después hay pescado. Por un día vamos a comer comida sana.*
     c *Si tienes tiempo, puedes venir a cenar mañana, así charlamos.*

9. Una señora habla con su hijo.

A. – ————
B. – a *Que tienen que sacarme una muela del juicio.*
     b *¿Te acompaño al médico?*
     c *Sí, mi padre es médico.*

10. Una señora habla con un señor.

A. – ————
B. – a *No, no encuentro mi cartera por ningún sitio.*
     b *Sí, hace un día precioso, me encanta la primavera.*
     c *Es que camino dos horas todos los días, así me mantengo en forma.*

PARTE NÚMERO 2

A continuación oirá siete textos breves. Debe oírlos dos veces. Para cada texto se le hará una pregunta. Elija la respuesta adecuada fijándose en las imágenes de cada texto.

TEXTO 1 _____

a   b   c

• 1. ¿Qué recomienda este anuncio? •

TEXTO 2 _____

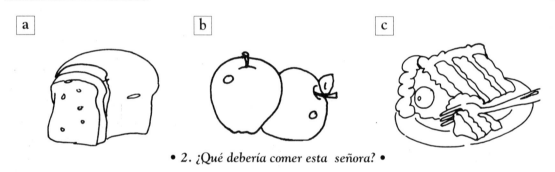

a   b   c

• 2. ¿Qué debería comer esta señora? •

TEXTO 3 _____

a   b   c

• 3. ¿Qué ofrece este club? •

Certificado inicial de E.L.E.

TEXTO 4

a  b  c

• 4. ¿Cómo se ha roto la pierna? •

TEXTO 5

a  b  c

• 5. ¿Qué oficio cree usted que tiene esta persona? •

TEXTO 6

a  b  c

• 6. ¿Dónde está este señor la mayor parte del tiempo cuando no trabaja? •

TEXTO 7

a 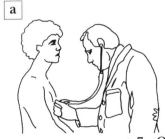 b  c

• 7. ¿Qué es lo que no debería hacer esta persona? •

PARTE NÚMERO 3

A continuación oirá un anuncio en la radio. Debe oírlo dos veces. Después seleccione la respuesta correcta.

<u>PREGUNTAS</u>

1. En el Club SALUD:

    [a] *Se puede aprender bailes de salón.*

    [b] *No hay cursos de yoga.*

    [c] *Se puede asistir a algunas sesiones de relajación.*

2. El Club SALUD dispone:

    [a] *De los aparatos más modernos para hacer gimnasia.*

    [b] *De una cafetería.*

    [c] *De grandes facilidades de pago.*

PARTE NÚMERO 4

A continuación oirá una conversación. Debe oírla dos veces. Después, seleccione la respuesta correcta.

<u>PREGUNTAS</u>

1. El señor Ramírez:

    [a] *No puede dormir y por eso ha ido al médico.*

    [b] *Ha ido al médico para hacerse una revisión.*

    [c] *Come demasiado y tiene que descansar.*

2. El médico le ha recomendado al señor Ramírez:

    [a] *Que todos los días debe caminar por lo menos dos horas.*

    [b] *Que todos los días tiene que comer mucha sal y beber agua con gas.*

    [c] *Que todos los días tiene que dormir dos horas.*

Prueba 4: Conciencia comunicativa y metalingüística

PARTE NÚMERO 1

¿Qué frase diría usted en las siguientes situaciones?

1. Usted está haciendo régimen para adelgazar y va a comer a un restaurante. El camarero le pregunta: *"¿Qué va a tomar?"* y usted responde:

   a *No sé, pero quiero algo muy pesado.*

   b *No sé, pero me gustaría un plato muy grasiento.*

   c *No sé, pero necesito tomar algo muy ligero.*

2. A usted no le preocupa mucho la vida sana, pero sí el campo y la naturaleza. Usted intenta explicar esto a otra persona.

   a *Para mí, lo importante es cuidar la naturaleza, no estar obsesionado con la gordura.*

   b *Para mí, lo fundamental es la salud psíquica, no la física.*

   c *Yo sólo estoy preocupado por mantenerme joven.*

3. Usted quiere mantenerse en forma y habla con un amigo/a para hacer ejercicio acompañado.

   a *¿Te apetecería correr conmigo?*

   b *¿Qué te parece si comemos juntos?*

   c *¿Te importa si nos sentamos?*

4. Usted está aconsejando a un amigo/a sobre una cuestión de salud.

   a *Lo mejor es dormir poco.*

   b *Es imprescindible dormir lo suficiente.*

   c *Dormir no tiene ninguna importancia.*

5. Usted quiere hacer una consulta al médico. Llama por teléfono para saber cuándo puede recibirlo/la.

   a *Buenas tardes, quería pedir hora para el doctor Castro.*

   b *Buenas tardes, ¿podría decirme la hora, por favor?*

   c *Buenas tardes, quería hablar con el doctor Castro sobre el tiempo.*

PARTE NÚMERO 2

A continuación tiene usted una entrevista. En ella hay diez palabras en letra negrita que no son adecuadas. Debe sustituirlas por alguna de las palabras de la lista que aparece al final.

Periodista.   – ¿Qué hace para estar en forma?

B.   – Procuro **coser** cosas saludables. Duermo bastante **lo que** no me gusta beber alcohol, **y** fumo
y además hago una **mesa** de gimnasia por las
mañanas.

A	B	C	D	E	F	G	H	I	J
☐	☐	☐	☐	☐	☐	☐	☐	☐	☐

A	B	C	D	E	F	G	H	I	J
☐	☐	☐	☐	☐	☐	☐	☐	☐	☐

A	B	C	D	E	F	G	H	I	J
☐	☐	☐	☐	☐	☐	☐	☐	☐	☐

A	B	C	D	E	F	G	H	I	J
☐	☐	☐	☐	☐	☐	☐	☐	☐	☐

Periodista.   – ¿Y hace algún deporte?

B.   – Claro, depende de la temporada. En invierno
voy mucho a la **piscina** a esquiar. En verano
tengo el día, o siempre que puedo, en el mar.

A	B	C	D	E	F	G	H	I	J
☐	☐	☐	☐	☐	☐	☐	☐	☐	☐

A	B	C	D	E	F	G	H	I	J
☐	☐	☐	☐	☐	☐	☐	☐	☐	☐

| Periodista. | – ¿Y qué hace cuándo está muy cansada? |
| B. | – Pues, después de un rodaje agotador, **cuanto** me gusta es volver a mi barrio. Cojo el carrito de la compra y **vengo** a la frutería. En definitiva, para mí, descansar es cambiar. |

A B C D E F G H I J
☐ ☐ ☐ ☐ ☐ ☐ ☐ ☐ ☐ ☐

A B C D E F G H I J
☐ ☐ ☐ ☐ ☐ ☐ ☐ ☐ ☐ ☐

| Periodista. | – **Saludamos** a Ana Ozores dándole las gracias por su **hora** y su simpatía. |

A B C D E F G H I J
☐ ☐ ☐ ☐ ☐ ☐ ☐ ☐ ☐ ☐

A B C D E F G H I J
☐ ☐ ☐ ☐ ☐ ☐ ☐ ☐ ☐ ☐

A)*nos despedimos de* B)*comer* C)*sierra* D)*lo que* E)*voy*
F)*pero* G)*tampoco* H)*paso* I)*tabla* J)*tiempo*

• •
PARTE NÚMERO 3
Complete los huecos del texto siguiente con una de las tres opciones que se le proponen al final del ejercicio.

Dos amigos hablan sobre el culto por el cuerpo, las dietas y la obsesión por estar en forma.

A:–Pero ¿a ti no te preocupa si estás gordo o delgado?

B: –A mí, en absoluto. Creo que la gordura se __1__ en una obsesión y estar delgado o delgada, sobre todo delgada, __2__ una moda.

A:–Hombre, es que estar gordo es un riesgo para __3__ salud.

B: –Claro, y vivir en la ciudad o trabajar __4__ algunas fábricas, todo es un riesgo para la salud, ¿no?

A:–No es __5__ mismo. La gordura casi siempre tiene fácil solución.

B: –Sí, claro: no comer.

A:–No, hombre, hay que comer, __6__ con cuidado, pero sobre todo hay que hacer ejercicio.

B: –¡Ah! __7__ me olvidaba el maldito ejercicio. Muy sano, en pleno __8__ de la ciudad.

A:–Si no hay __9__ remedio.

B: –Sí, sí. Sano y divertido. __10__ recordaré las caras de los chicos jóvenes y de los señores y señoras que vi corriendo en el Central Park de Nueva York el verano pasado y pensé todo lo que quieras __11__ que se estaban divirtiendo.

Certificado inicial de E.L.E.

A:–Bueno, quizá, para __**12**__ , correr no es divertido, pero para otras personas puede serlo.

B: –Creo que en una cosa, sí tienes __**13**__ . Cada persona __**14**__ elegir cómo quiere vivir

y __**15**__ son sus prioridades.

OPCIONES

1.	a convirtió	b ha convertido	c convertía
2.	a es	b está	c estuvo
3.	a el	b la	c lo
4.	a para	b en	c con
5.	a lo	b la	c el
6.	a aunque	b además	c sin embargo
7.	a te	b me	c se
8.	a medio	b corazón	c mitad
9.	a un	b uno	c otro
10.	a nada	b siempre	c siglos
11.	a menos	b más	c tan
12.	a tú	b ti	c te
13.	a rato	b rama	c razón
14.	a hay	b debe	c tiene
15.	a cuáles	b cuál	c quién

Prueba 5: Expresión e interacción orales

PARTE NÚMERO 1

Entrevista con el examinador

Practique una entrevista contestando a preguntas sobre sus actividades cotidianas, la salud, sus gustos y preferencias. Utilice como guía las preguntas que aparecen a continuación.

1. ¿Qué hace usted para mantenerse en forma? ¿Cree usted que es necesario practicar algún deporte?

2. ¿Cuál es su deporte favorito? ¿Le gusta practicarlo o verlo?

3. ¿Cuál es el deporte más popular en su país?

4. ¿Qué deportes no le gustan? ¿Por qué?

5. ¿Qué deportes considera usted que son peligrosos?

PARTE NÚMERO 2

Se le planteará una serie de situaciones comunicativas, en las que usted deberá decir unas frases adecuadas, simulando desempeñar los siguientes papeles.

1. Usted se ha roto un brazo haciendo deporte. Explíquele al médico qué le ha pasado.

2. A usted le invitan a ir a un partido de tenis pero no le gusta el tenis. Excúsese.

3. Imagine que un amigo suyo se siente muy débil y muy cansado. Él quiere algunas recomendaciones.

4. Usted conoce a una persona que quiere perder peso y está haciendo un régimen que no es bueno para su salud. Explíqueselo.

5. Usted quiere convencer a una persona de que la alimentación vegetariana es, o no es, sana. Explíquese.

Certificado inicial de E.L.E.

PARTE NÚMERO 3

Expresión oral sobre un soporte gráfico. Observe con atención las dos situaciones.

1) Describa:

El contenido de las viñetas. Ponga especial atención en los personajes, dónde están, qué están haciendo y por qué lo hacen.

2) Narre:

Lo que ocurre en las dos situaciones.

Notas

....
....
....
....
....
....
....
....
....
....
....
....
....
....
....
....
....
....
....
....
....
....
....
....
....
....
....
....
....
....
....
....
....
....
....

Un poco de todo

Prueba 1: Interpretación de textos escritos

PARTE NÚMERO 1

Lea con atención el siguiente texto. A continuación encontrará tres preguntas. Indique si son verdaderas (V) o falsas (F) de acuerdo con el contenido del artículo leído.

RADIO EXTERIOR DE ESPAÑA, MEDIO SIGLO EN LAS ONDAS

Radio Exterior de España lleva realizando su labor más de medio siglo. Transmite, en español y en otras lenguas, una serie de programas que pueden llegar a 320 millones de oyentes potenciales. Estos oyentes residen en lugares diferentes a lo largo de toda la geografía del mundo, incluidos los navegantes desde Terranova hasta el Océano Índico.

Por medio de sus programas REE intenta ofrecer una imagen real de España. Pretende reflejar la realidad de las instituciones socio-políticas y difundir la cultura española. En resumen: estar presente en el mundo con una información completa y objetiva sobre España.

Como todas las emisoras internacionales, REE considera fundamental la relación con sus oyentes. Por eso, atiende y contesta las numerosas cartas y llamadas que le llegan con preguntas, opiniones y críticas sobre sus emisiones.

Entre sus objetivos importantes se encuentran la difusión, enseñanza y conservación de la lengua española.

(Adaptado de *IDIOMAS*. 1993)

PREGUNTAS

V.　F.

1. Radio Exterior de España emite sus programas especialmente para los españoles que trabajan en el mar.　☐ ☐

2. En los programas de REE se emite información muy variada sobre la política, la sociedad y los acontecimientos culturales.　☐ ☐

3. En la redacción de REE no tienen tiempo ni medios para responder a las preguntas de los oyentes.　☐ ☐

PARTE NÚMERO 2

Lea con atención cada uno de los textos siguientes. Marque con una X la respuesta correcta de acuerdo con el texto.

•TEXTO 1

SUBE LA VENTA DE REVISTAS

La afición a la lectura de prensa especializada en náutica y en recetas de cocina ha producido un aumento del 24% en la tirada de las publicaciones.

Según este anuncio:

　ⓐ *Cada vez hay más gente que practica deportes náuticos.*

　ⓑ *Cada vez se venden más revistas que se especializan en ciertos temas.*

　ⓒ *Cada año se produce un aumento casi del 25% en la venta de barcos.*

• TEXTO 2

> Papá:
>
> Estoy estudiando en casa de José. Llegaré tarde. Mañana tengo un examen. Por favor, despiértame a las 7.30 h. No puedo llegar tarde.
>
> Luis

Según esta nota, el padre de Luis:

[a] *Debe llamar a Luis a casa de José por la tarde.*

[b] *Debe llevar a Luis al examen por la mañana.*

[c] *Debe llamar a Luis por la mañana temprano para que se levante.*

• TEXTO 3

INVENTOS

Uno de los inventos españoles que más ha endulzado la vida de los niños de todo el mundo es el Chupa-chup. Tiene distintos sabores y colores y su precio está al alcance de todos.

Este invento español:

[a] *Es un caramelo.*

[b] *Es una medicina.*

[c] *Es un juguete.*

• TEXTO 4

ARTÍCULO TRES DE LA CONSTITUCIÓN ESPAÑOLA:

1. El castellano es la lengua española oficial del Estado. Todos los españoles tienen el deber de conocerla y el derecho a usarla.

La Constitución española establece que:

[a] *El castellano sólo se habla en Castilla.*

[b] *El castellano es la misma lengua que el español.*

[c] *Los españoles no están obligados a conocer el castellano.*

•TEXTO 5

Según este aviso, las personas que van de visita al hospital:

- [a] *Pueden estar toda la tarde.*
- [b] *Pueden llevar alimentos a los enfermos.*
- [c] *Deben abandonar el hospital a las 19 h.*

> **HOSPITAL**
> **LA TRANQUILIDAD**
>
> **Horario de visitas:**
> de 17 a 19 h.
>
> Se ruega a las visitas:
> •RETIRARSE A LA HORA
>   INDICADA
> •NO TRAER COMIDA NI
>   BEBIDAS

•TEXTO 6

> **ESTACIÓN DE AUTOBUSES**
>
> AVISO A LOS VIAJEROS
>
> Los billetes se pueden adquirir con diez días de anticipación
> y hasta media hora antes de la salida del autobús.

Los viajeros:

- [a] *Deben comprar los billetes el día del viaje.*
- [b] *Deben estar en la estación media hora antes del viaje.*
- [c] *Pueden comprar los billetes los días anteriores al viaje.*

•TEXTO 7

> DISCULPEN LAS MOLESTIAS
> ESTAMOS MEJORANDO LA CIUDAD
> CIRCULEN CON PRECAUCIÓN

Este aviso indica que:

- [a] *Las calles están más limpias.*
- [b] *La ciudad está más bonita.*
- [c] *Están arreglando las calles.*

PARTE NÚMERO 3

Lea con atención la información sobre los programas de radio más recomendados por los oyentes. A continuación encontrará preguntas sobre el texto. Marque con una X la opción correcta.

EL DIAL DE MADRID

Las mañanas de Radio 1: Entrevistas a personajes de la política y de la actualidad nacional, realizadas por expertos periodistas de la casa. De lunes a viernes de 9 a 11 h. FM 87.5.

La radio de Julia: Programa variado y divertido. Radio interactiva con participación de los oyentes. Temas cotidianos, de actualidad. Lo que más suena del día. De lunes a viernes, de 17 a 21 h. FM 94.8.

Clásicos populares: Lo mejor de la música clásica. Programa ameno y divertido con distintas secciones dedicadas a nuevas grabaciones, fragmentos muy conocidos y peticiones de los oyentes. De lunes a jueves, a las 16 h. FM 97.5.

Cita con la calle: El programa de más éxito a partir de la medianoche. Noctámbulos, taxistas, camioneros plantean situaciones dramáticas, cómicas, humanas, a través del teléfono. Todas las noches. FM 104.

Protagonistas: Programa diario de actualidad. Empieza a las 7.30 h. con una excelente revisión de toda la prensa nacional y comentarios de los corresponsales en el extranjero. Lo mejor para estar bien informado desde primeras horas. Desfile de protagonistas de distintos ámbitos a lo largo de toda la mañana. FM 103.8.

Radionoticias de la tarde: El informativo más clásico para estar informado de todo lo que ha ocurrido en el día. De 20 a 20.30 h., en Radio 5. FM 95.7.

Los 40 principales: Es el programa de música popular por excelencia. Si quiere saber lo que se lleva, lo que sube y lo que baja en ventas, puede sintonizarlo a cualquier hora del día. FM 87.3.

Tarde de acción: Revista de los deportes en general. Se comentan en directo algunos partidos de fútbol. Baloncesto, tenis. Carreras. La última hora de todas las competiciones. Especial atención a la Vuelta ciclista de España. De 15 a 20.30 h. Sábados y domingos. FM 102.4.

En directo: Transmisión de conciertos desde el Auditorio de Música. Grandes orquestas, óperas, solistas, música de cámara. Comentarios previos y entrevistas con los artistas. Viernes y sábados a las 22 h. Domingos a las 19 h. Radio 2. FM 83.9.

El menú de cada día: Programa especialmente atractivo para quienes se ocupan de la cocina. Buenos platos y muy baratos, basados en los productos de la estación. De lunes a sábado, a las 11 h. FM 100.7.

---

1. Hay un programa que empieza después de las doce de la noche; se trata de:

    a] *En directo*

    b] *Los 40 principales*

    c] *Cita con la calle*

2. A usted le gusta el espectáculo en directo y cuando no puede asistir a escucharlo, trata de sintonizar:

    a] *En directo*

    b] *Cita con la calle*

    c] *Tarde de acción*

3. Es un apasionado de las carreras de bicicleta, por lo que no se pierde:

    ⓐ *Protagonistas*

    ⓑ *Radionoticias de la tarde*

    ⓒ *Tarde de acción*

4. Hay un programa que sólo se emite tres días a la semana; se trata de:

    ⓐ *En directo*

    ⓑ *Clásicos populares*

    ⓒ *Las mañanas de Radio 1*

5. Mientras hace su trabajo le gusta conocer a fondo a personas importantes de la actualidad. Es oyente habitual de:

    ⓐ *En directo*

    ⓑ *Las mañanas de Radio 1*

    ⓒ *La radio de Julia*

6. Para estar informado sobre la liga de fútbol:

    ⓐ *Los 40 principales*

    ⓑ *Cita con la calle*

    ⓒ *Tarde de acción*

7. Quiere regalar a sus amigos unos discos de moda. Para informarse le conviene escuchar:

    ⓐ *Clásicos populares*

    ⓑ *Los 40 principales*

    ⓒ *Tarde en acción*

8. El programa más atractivo para los que quieren preguntar y comentar sus ideas en la radio es:

    ⓐ *Las mañanas de Radio 1*

    ⓑ *Radionoticias de la tarde*

    ⓒ *La radio de Julia*

9. Le gusta la música, sobre todo la buena y conocida, para acompañar su descanso después de comer. Lo suyo es:

    ⓐ *Clásicos populares*

    ⓑ *En directo*

    ⓒ *Los 40 principales*

10. En "Cita con la calle" se ofrece a los oyentes:

    ⓐ *Una buena selección de música*

    ⓑ *Entrevistas a políticos*

    ⓒ *Opiniones y problemas de gente que trabaja por las noches.*

Prueba 2: Producción de textos escritos

PARTE NÚMERO 1

Escriba una carta de agradecimiento a un amigo español que le ha enviado los folletos de turismo que usted le pidió con el propósito de viajar a España en las próximas vacaciones. No olvide todas las partes de la carta: lugar y fecha, saludo, propósito, cuerpo de la carta, despedida y firma. Si se olvida de algo añada P.D. (Postdata).

....
....
....
....
....
....
....
....
....
....

                                                    ....

PARTE NÚMERO 2

Escriba su opinión sobre la utilidad de este libro para preparar el examen del Certificado Inicial de Español Lengua Extranjera. Indique los errores y los aciertos que ha encontrado. Y si quiere enviarla a la editorial, se lo agradeceremos mucho.

....
....
....
....
....
....
....
....
....
....
....
....
....

Prueba 3: Interpretación de textos orales

PARTE NÚMERO 1

A continuación oirá diez diálogos breves. Debe oírlos dos veces. Una persona habla con otra, y ésta última le responde de tres maneras distintas. Únicamente una de las tres respuestas es adecuada.

1. Dos jóvenes están discutiendo sus planes para el fin de semana.

A. – —————
B. – a Un zumo de naranja y unas patatas fritas.
b Quería dos entradas para la sesión de las 7.
c Me gustaría salir de la ciudad, ir al campo, por ejemplo.

2. Un señor habla con una señora al final de un concierto.

A. – —————
B. – a Sí, me encantaría ir.
b No, hoy no puedo, pero la semana que viene sí.
c Sí, muchísimo, me gustaría oírlo otra vez.

3. Una señora habla con su hijo.

A. – —————
B. – a No, fuimos ayer, hoy vamos al Museo Sorolla.
b No, no estamos en el Museo del Prado.
c No, porque no vamos al Museo del Prado ni al Sorolla.

4. Dos amigas hablan al salir del Instituto.

A. – —————
B. – a Bueno, dame el libro.
b Bueno, ¿y qué hacemos después?
c Bueno, pero nos quedamos aquí.

5. Unos amigos van a una fiesta de cumpleaños.

A. – —————
B. – a Sí, le he comprado un cómic muy gracioso.
b Sí, ya he leído el cómic.
c Sí, he ido a la compra.

6. Un chico habla con una chica.

A. – —————
B. – a ¡Qué bien! ¿Cuándo te compras la moto?
b ¿Y te ha llamado alguien?
c No, hoy no he leído el periódico.

7. Un señor habla con una señora.

A. – —————
B. – a El canal 2 es el que más me gusta.
b Sí, nosotros tenemos televisión por cable.
c Pues mis hijos casi nunca la ven, siempre están haciendo deporte.

8. Un chico habla con su hermana.

A. – —————
B. – a Me encanta escuchar la radio, sobre todo cuando trabajo.
b Sí, claro, pero tómate una aspirina.
c No, lo siento, no me quedan aspirinas.

9. Una señora habla con su hijo.

A. – —————
B. – a Es que tengo que ir a casa del tío Eduardo.
b Es que estoy esperando que empiece el programa que me interesa.
c No, la verdad es que prefiero leer el periódico.

10. Un señor habla con una señora.

A. – —————
B. – a Sí, ya he apagado el televisor.
b Sí, escucho su programa todos los días.
c Sí, y me ha dejado impresionada, cada día pasan cosas más extrañas.

PARTE NÚMERO 2

A continuación oirá siete textos breves. Debe oírlos dos veces. Para cada texto se le hará una pregunta. Elija la respuesta adecuada fijándose en las imágenes de cada texto.

TEXTO 1

• 1. ¿Adónde quiere ir el señor Castro estas vacaciones? •

TEXTO 2

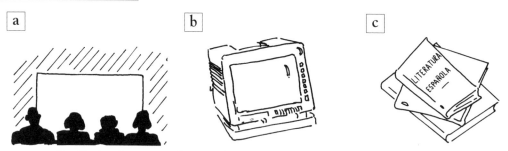

• 2. ¿Qué es lo que más le gusta hacer a Elena en su tiempo libre entre semana? •

TEXTO 3

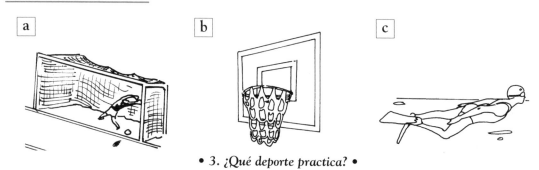

• 3. ¿Qué deporte practica? •

TEXTO 4

a | GRAN HOTEL

b

c

• 4. ¿Dónde vivió Pilar cuando estuvo en la Costa del Sol? •

TEXTO 5

a | DISCOTECA

b | Café

c | RESTAURANTE

• 5. ¿Adónde van a ir estas amigas? •

TEXTO 6

 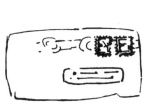

a

b

c

• 6. ¿Cómo va a hacer la reserva? •

TEXTO 7

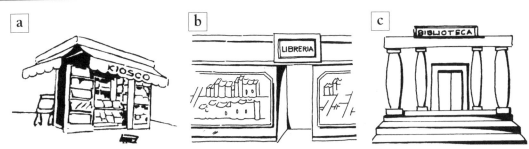

a | KIOSCO

b | LIBRERIA

c | BIBLIOTECA

• 7. ¿Dónde puede comprar un periódico inglés? •

PARTE NÚMERO 3

A continuación oirá una noticia en la radio. Debe oírla dos veces. Después seleccione la respuesta correcta.

PREGUNTAS

1. La dirección general de tráfico recomienda:
   - [a] *Ir a pasar los cuatro días de fiesta a Valencia o Burgos.*
   - [b] *No conducir por la noche.*
   - [c] *Tener cuidado en la carretera.*

2. En las carreteras de Valencia y Burgos:
   - [a] *No pasan muchos coches.*
   - [b] *No se puede circular debido a la cantidad de coches.*
   - [c] *Hay muchísima niebla.*

PARTE NÚMERO 4

A continuación oirá una conversación. Debe oírla dos veces. Después, seleccione la respuesta correcta.

PREGUNTAS

1. Cristina ha ido:
   - [a] *A una entrevista de trabajo.*
   - [b] *A una entrevista para estudiar un máster.*
   - [c] *A una entrevista en la radio.*

2. Cristina quiere seguir estudiando porque:
   - [a] *Habla muy bien inglés.*
   - [b] *No quiere vivir en otra cultura.*
   - [c] *Quiere estar preparada para entrar en el mundo del trabajo.*

3. La entrevista que le han hecho a Cristina:
   - [a] *Ha sido muy formal.*
   - [b] *Ha durado unas dos horas.*
   - [c] *Ha sido muy difícil.*

Certificado inicial de E.L.E.

Prueba 4: Conciencia comunicativa y metalingüística

PARTE NÚMERO 1

¿Qué diría usted en las siguientes situaciones? Marque con una X la respuesta adecuada.

1. **Usted quiere comprar un periódico. Va a un quiosco y pregunta:**
   a *¿Me presta el periódico, por favor?*
   b *¿Cuánto cuesta este periódico, por favor?*
   c *¿Le devuelvo el periódico?*

2. **Usted va en un taxi y quiere escuchar las noticias por la radio. Usted le dice al taxista:**
   a *¿Puede poner la radio, por favor? Es que tengo mucho interés en oír las noticias.*
   b *He oído las noticias por la radio y tienen mucho interés.*
   c *¿Le importa bajar el volumen de la radio? Es que no podemos comentar las noticias.*

3. **Usted habla con un/a amigo/a en su casa sobre el periódico que más le gusta.**
   a *Pues yo prefiero El Día, porque su formato facilita la lectura.*
   b *Pues a mí, el que me molesta es El Mediodía, porque es complicado de leer.*
   c *Bueno, para mí, lo que importa es la calidad periodística, por eso no soporto El Anochecer.*

4. **Formar una familia sigue siendo el ideal de muchos jóvenes españoles.**
   a *Muchos jóvenes quieren independizarse de sus familias.*
   b *Muchos jóvenes quieren vivir en familia.*
   c *Muchos jóvenes se llevan bien con sus familias.*

5. **Muchos prefieren vivir en la ciudad si pueden salir los fines de semana al campo y pasar en verano un mes en la playa.**
   a *Quieren vivir en la ciudad con la posibilidad de salir mucho al campo.*
   b *No quieren vivir en el campo, sino en la playa.*
   c *Prefieren vivir en una ciudad que tenga playa.*

PARTE NÚMERO 2

A continuación tiene usted 10 frases o diálogos. En cada frase o diálogo hay una palabra en negrita que no es adecuada. Debe usted sustituirla por alguna de las palabras de la lista que aparece al final.

1. A. – ¿A dónde quieres ir de vacaciones?
   B. – A mí me **viene** igual, sólo quiero descansar.

   A B C D E F G H I J
   □ □ □ □ □ □ □ □ □ □

2. Respirar aire puro se ha convertido en una **realidad** para los que viven en las grandes ciudades.

   A B C D E F G H I J
   □ □ □ □ □ □ □ □ □ □

3. Carlos está delgadísimo porque se pasa **un** día corriendo.

   A B C D E F G H I J
   □ □ □ □ □ □ □ □ □ □

4. La ciudad tiene una **breve** oferta cultural: museos, espectáculos, cines, etc.

   A B C D E F G H I J
   □ □ □ □ □ □ □ □ □ □

5. Una pareja *para* tres hijos ya es familia numerosa.

A B C D E F G H I J
☐ ☐ ☐ ☐ ☐ ☐ ☐ ☐ ☐ ☐

6. A. – ¿Estudias o trabajas?
   B. – Ahora estoy estudiando pero en verano hago *todo el* trabajito.

A B C D E F G H I J
☐ ☐ ☐ ☐ ☐ ☐ ☐ ☐ ☐ ☐

7. A. – ¿Tú lees el periódico todos los días?
   B. – Hombre, todos no, pero *entre* todos.

A B C D E F G H I J
☐ ☐ ☐ ☐ ☐ ☐ ☐ ☐ ☐ ☐

8. En España, *como* ahora, no hay demasiados vegetarianos.

A B C D E F G H I J
☐ ☐ ☐ ☐ ☐ ☐ ☐ ☐ ☐ ☐

9. Me gustaría ser millonario para ir a la ópera en cualquier parte del *pueblo*.

A B C D E F G H I J
☐ ☐ ☐ ☐ ☐ ☐ ☐ ☐ ☐ ☐

10. A. – ¿A *cuánto* te dedicas?
    B. – Trabajo en una biblioteca.

A B C D E F G H I J
☐ ☐ ☐ ☐ ☐ ☐ ☐ ☐ ☐ ☐

| A)*da* | B)*ilusión* | C)*qué* | D)*con* | E)*el* |
| F)*mundo* | G)*casi* | H)*algún* | I)*gran* | J)*hasta* |

• •

PARTE NÚMERO 3

Complete los huecos de la entrevista siguiente con una de las tres opciones que se le proponen al final.

A: –Don Alonso, ¿tiene usted unos minutos __1__ contestarnos unas preguntas?
B: –Naturalmente que sí. Los viejos tenemos todo el día por delante.

A: –Ésa es nuestra primera pregunta, ¿qué hace __2__ día cualquiera?
B: –Pues, mirad, un día es muy largo y __3__ infinidad de cosas. Me levanto tempranito, los viejos dormimos poco. Luego hago lo normal, como vosotros: me ducho, me afeito, y me visto. Después desayuno y leo la prensa.

A: –¿Y después?
B: –Pues, ya son las diez y media o las once, entonces intento escribir un̶ __4__. Todavía quiero terminar un libro de entrevistas y de artículos.

A: –¿ __5__ ha entrevistado?
B: –No, no son de ahora. __6__ trata de una serie de entrevistas que, cuando __7__ joven, hice a grandes personajes, sobre todo de la literatura.

A: –¿Y los artículos?

Certificado inicial de E.L.E.

B: – __8__ , a lo largo de mi vida he escrito infinidad de artículos. Ahora me gustaría elegir los más interesantes y publicarlos juntos.

A: – __9__ contándonos lo que hace, ¿a qué hora come?

B: – __10__ comer a las dos y media, con mi mujer. Después hacemos un poco de sobremesa, hago __11__ llamada a los amigos y luego leo o escribo. Y una tarde __12__ la semana voy a la Academia.

A: –¿Cuándo le piden que haga algún discurso, en qué __13__ inspira?

B: –Normalmente la lengua castellana es mi fuente de inspiración, es de lo que más sé. Aunque, quizá, debería decir de lo __14__ que sé, bueno, __15__ un poco.

OPCIONES

1.	a por	b para	c de
2.	a un	b algún	c otro
3.	a tengo	b trabajo	c hago
4.	a demasiado	b poco	c bastante
5.	a a quién	b con quién	c por quién
6.	a me	b se	c nos
7.	a soy	b era	c fui
8.	a bueno	b así que	c además
9.	a pregunte	b pida	c siga
10.	a tengo	b suelo	c puedo
11.	a algún	b ningún	c alguna
12.	a a	b en	c por
13.	a se	b te	c le
14.	a sólo	b solamente	c único
15.	a por lo menos	b más	c por

Prueba 5: Expresión e interacción orales

PARTE NÚMERO 1
Entrevista con el examinador

Practique una entrevista contestando a preguntas sobre sus propios datos personales, sus actividades cotidianas, su tiempo libre, sus gustos y preferencias. Utilice las siguientes preguntas.

1. ¿Qué medio de comunicación le gusta más? ¿Por qué?

2. ¿En qué consiste un día de trabajo normal para usted?

3. Para usted, ¿cuál es el lugar ideal para vivir? ¿Por qué?

4. ¿Qué carreras cree usted que ofrecen más posibilidades de encontrar trabajo?

5. ¿Toca usted algún instrumento? ¿Tiene usted algún pasatiempo especial? Explíquese.

PARTE NÚMERO 2

Se le planteará una serie de situaciones comunicativas, en las que Ud. deberá decir unas frases adecuadas, simulando desempeñar los siguientes papeles.

1. En unos grandes almacenes: Ud. es un cliente que quiere devolver lo que ha comprado porque está estropeado. (Explicar y reclamar.)

2. En la Oficina de Correos: Ud. necesita mandar un paquete lo más rápido posible. (Pedir información.)

3. En un restaurante: la comida está demasiado salada. (Protestar.)

4. En la estación de autobuses: quiere viajar a Toledo. (Pedir información.)

5. En el aeropuerto: es la hora de embarque y su vuelo no aparece en la pantalla de anuncios. (Pedir información.)

PARTE NÚMERO 3

Expresión oral sobre un soporte gráfico

Observe con atención las dos situaciones que se le presentan a continuación.

1) Describa:

El contenido de las viñetas. Ponga especial atención en los personajes, dónde están y qué están haciendo.

2) Narre:

Lo que ocurre en las dos situaciones.

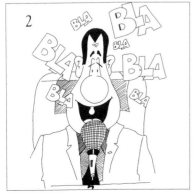

Transcripción de textos orales (Prueba 3)

■1. La vida cotidiana

Parte 1

1 A: Ha llamado tu jefe. 2 A: Buenos días, ¿podría hablar con el señor Robledo? 3 A: Ésta es la mejor guitarra que tenemos. 4 A: ¿Cómo quiere mandar el paquete? 5 A: ¿Qué vas a hacer el sábado por la tarde? 6 A: Un billete, por favor. 7 A: Y tú, ¿cuántas horas trabajas al día? 8 A: Acabo de comprar el periódico. 9 A: ¿Tienes coche? 10 A: ¿Dónde te apetece comer?

Parte 2

1 -A: ¿Qué vas a hacer estas vacaciones? -B: Quería hacer un curso de informática pero es demasiado difícil. Luego pensé ir a la playa y hacer esquí acuático, pero me he roto una pierna. Así que voy a hacer lo mismo de siempre. 2 Horario de invierno (Noticia) -A las tres de la madrugada deben retrasarse los relojes una hora. 3 -A: José, siempre comes lo mismo, ¿no te aburre comer siempre verduras? -B: No, en absoluto. Yo lo que no entiendo es cómo podéis comer carne todos los días. 4 Si no quiere estar en plena oscuridad, si desea ver las cosas claras, si quiere que sus ojos descansen, no lo dude, nosotros le ofrecemos algo más que luz. 5 -A: ¿Cuándo te casas? -B: En verano, durante las vacaciones, porque en julio tengo mucho trabajo y en septiembre empiezan otra vez las clases. 6 -A: Te he puesto todo lo que necesitas, hasta el cepillo de dientes, todo planchado y doblado tal como me has dicho. Anda, vete ya, que vas a llegar tarde. -B: Muchísimas gracias. 7 -A: La verdad es que no sé dónde las he puesto. Siempre me pasa lo mismo, justo antes de salir. -B: ¿Por qué no las dejas siempre en el mismo sitio?

Parte 3

"Atención, por favor. La línea 2 del metro, entre las estaciones de Quevedo y San Bernardo, está actualmente cerrada debido a obras en la red del metro. Las personas que deseen utilizar esta línea deberán cambiar de tren en Quevedo. Hay un metro que va únicamente de Quevedo a San Bernardo. La línea se restablecerá el próximo mes. Muchas gracias y disculpen las molestias."

Parte 4

-A: Buenos días, ¿le puedo ayudar en algo? -B: Sí, gracias, desearía ver al Director Comercial, el señor Gómez Pérez. -A: ¿Tiene usted una cita concertada? -B: Sí, me llamó ayer para ver si podía traerle los nuevos folletos de VACACIONES CON AVISOL. -A: Un momento, por favor, ahora mismo le aviso... ¿Señor Gómez?... Un momento, no cuelgue. Perdone, ¿su nombre, por favor? -B: Soy la señora Palacios, de AVISOL. -A: Gracias... La señora Palacios está en recepción, ha traído los nuevos folletos de VACACIONES CON AVISOL... Gracias, ahora se lo comunico. El señor Gómez está en una reunión que terminará en breve. Su secretario personal, el señor García, bajará dentro de unos momentos y la atenderá. Cuando termine la reunión, el señor Gómez se unirá a ustedes. -B: Muchas gracias, muy amable. -A: De nada.

■ 2. El entorno familiar

Parte 1

1 A: ¿Quién es ese chico tan guapo? 2 A: Mañana es el cumpleaños de Elena, ¿qué le regalamos? 3 A: ¿Dónde va usted tan rápido, señor Gómez? 4 A: ¿A dónde vas tan tarde? 5 A: Oye, ¿me prestas tu bolsa de deporte? 6 A: Carmen, te ha llamado Juan. 7 A: Paco, ya estoy aquí, ¿dónde estás? 8 A: Los abuelos vienen a pasar este fin de semana a casa. 9 A: Mi padre trabaja en un garaje, es un buen mecánico. 10 A: Mamá, el teléfono no funciona.

Parte 2

1 -A: Oye, ¿quién es Elena? -B: La hija pequeña. 2 -A: Juan, ¿en vuestra casa tenéis animales? -B: Mi padre es alérgico al pelo de los animales, pero tenemos una mascota preciosa que se llama Tula, mi hermana pequeña se encarga de darle lechuga todos los días. 3 -A: Peter, ¿a qué hora cenáis en vuestra casa? -B: En mi país la gente cena sobre las seis de la tarde, pero en mi casa nunca cenamos antes de las ocho. Para mí es tarde, aunque tampoco cenamos tan tarde como los españoles. 4 -A: ¿Cuál es tu próximo examen, David? -B: Hoy he tenido el de matemáticas y pasado mañana tendré el de historia. El próximo es el de latín. Pero el jueves ya no tengo ningún examen, ¡menos mal! 5 -A: ¿Qué os apetece hacer este fin de semana? -B: Ni museos ni cosas cultas, a mí lo que me apetece es sentarme tranquilamente a tomar el sol y descansar cerca de un río. -A: ¿Todos de acuerdo? -B y C: Sí. 6 -A: Mamá, ¿cómo es tío Eduardo? Es que no me acuerdo nada de él. -B: Pues, tío Eduardo es mi hermano pequeño, tiene unos diez años menos que yo. Le gusta mucho hacer bromas y nunca se afeita. 7 -A: Mi familia no es ni grande ni pequeña; en la foto, como veis, está mi padre, que se llama Armando, y mi madre, que se llama Elena. Mi hermano se llama Pedro. Mi abuelo Andrés vive con nosotros. A mí madre no le gustan los animales. ¡Ah! Yo me llamo Daniel.

Parte 3

"Éste es el contestador automático de la consulta del doctor Enrique Sánchez. La consulta está abierta de 5 a 8 de la tarde. Si quiere pedir hora puede hacerlo de 11 a 1 y de 4 a 7. Para una emergencia llame al número 456 24 22."

Parte 4

-Madre: Carlos, ¿has terminado de hacer tus deberes? -Carlos: No, todavía no, es que no entiendo estos ejercicios de matemáticas. -M: ¿Por qué no le preguntas a tu hermano? -C: Mamá, Ricardo sabe menos que yo. -M: Pero si es mayor que tú. -C: Sí, y yo soy más alto que él y no sé jugar al baloncesto. -M: Yo puedo ayudarte con el inglés, pero ya sabes que yo de matemáticas no entiendo mucho. ¿Por qué no esperas a tu padre? -C: Mamá, por favor, papá no sale de la consulta hasta pasadas las 8, llega a casa muerto de hambre y lo último que quiere hacer es ayudarme con mis deberes de matemáticas. -M: Pero, ¿se lo has pedido alguna vez? -C: Bueno, cuando llegue le preguntaré si puede ayudarme. Por cierto, mamá, este fin de semana me voy de excursión con unos amigos. -M: Pero entonces, ¿cuándo vas a estudiar para el examen de matemáticas? -C: Pues esta noche, con papá.

■ 3. Campo y ciudad

Parte 1

1 A: ¿Has estado alguna vez en Los Picos de Europa? 2 A: Deberías pasar las vacaciones en mi pueblo, es genial. 3 A: ¿Cuánto tiempo tardas de aquí a la ciudad? 4 A: ¿Por qué viven tan lejos de la ciudad, doña Eulalia? 5 A: Estoy seguro de que vivir en el campo es mucho más sano que en la ciudad. 6 A: Oye, ¿cuándo veremos el mar? 7 A: Oye, ¿qué hacemos esta tarde? 8 A: ¿Qué ha dicho el hombre del tiempo para mañana? 9 A: ¿Me dejas ir a la granja de los tíos? 10 A: ¿Cómo puedes vivir en un lugar donde llueve casi todos los días?

Parte 2

1 -A: ¿Por qué te decidiste a vivir aquí, Eduardo? -B: Hay mil razones. Pero lo más importante: estoy muy lejos de la ciudad y desde mi ventana veo el mar. 2 -A: Para mañana las temperaturas bajarán. Los cielos estarán ligeramente cubiertos, mucho más que ayer, pero no se esperan lluvias hasta el miércoles. Si van a salir les recomiendo un buen abrigo porque no

brillará el sol. **3** -A: Jaime, ¿vosotros vivís en una casa de esas grandes de campo, con muchas vacas alrededor y gallinas y todo eso? -B: ¡Qué tonto eres! En los pueblos también tenemos pisos como en las ciudades. Lo que ocurre es que los edificios son más bajos y, por ejemplo, en el mío no hay ascensor como en el tuyo. Mis abuelos sí tienen una casa de campo, a unos diez kilómetros del pueblo, pero nosotros no vivimos allí. **4** -A: José, ¿le puedes explicar a mi hermana en qué consiste tu trabajo? -B: Bueno, nosotros trabajamos tanto o más que en la ciudad. Nos levantamos cuando sale el sol y cada uno tiene su trabajo. A mí por ejemplo siempre me toca ordeñar las vacas dos veces al día, dar de comer a todos los animales, cortar la leña, etc. Pero mi padre es el que compra las vacas, las vende y las cuida. **5** -A: ¿Qué es lo que menos te gusta de la capital? -B: A mí no me importa hacer cola en el mercado o en el cine ni coger el metro, lo que yo odio es salir de casa a las 8:00 de la mañana y encontrar que la calle ya está llena de coches. **6** -A: Me encanta pasar el fin de semana tranquilamente en el campo. -B: Ya lo veo. No me importa en absoluto comer hormigas con la tortilla de patata. Pero los mosquitos es que no los soporto. **7** -A: Si lo que usted desea es descansar, relajarse, pasear tranquilamente, bañarse en la piscina y soñar, no viaje con nosotros. Lo nuestro es la aventura total, más de 10 deportes arriesgados a su disposición. Llame a DEPORMÁS.

Parte 3
"Atención, por favor, acaban de entregar en la oficina de objetos perdidos una mochila de color rojo sin identificación. También se han encontrado las llaves de un coche con un llavero. Para más información diríjanse a la oficina de objetos perdidos."

Parte 4
-Elena: ¿Qué tal, Marta? ¿Cómo estás hoy? -Marta: Bien, poco a poco voy acostumbrándome a esta ciudad. -E: ¿Tan distinto es vivir en la ciudad? -M: Pues sí y no, depende. A mí por ejemplo me gusta más vivir en la ciudad que vivir en el pueblo donde está mi familia, pero mi hermano no soporta la ciudad. Para él, la tranquilidad es lo esencial y en la ciudad se pone bastante nervioso porque todo va demasiado rápido y hay mucha gente. -E: ¿Cuántos habitantes hay en tu pueblo? -M: Mi pueblo no es tan pequeño como tú crees. Más o menos deben vivir unas 7.000 personas. Hay pueblos mucho más pequeños que el nuestro, de hecho, mi pueblo es uno de los más grandes en la zona. En mi pueblo hay un cine, una biblioteca, varios colegios, un instituto, un mercado modernista precioso, un pequeño teatro, alguna discoteca y bastantes bares para salir por la noche.

■ 4. La educación
Parte 1
1 A: ¿Qué asignatura vas a dar? 2 A: ¿Qué clase te gusta más? 3 A: ¿Cuántos idiomas habla usted? 4 A: ¿Ya te has matriculado para el año que viene? 5 A: Voy a hacer un curso de informática básica. 6 A: ¿Sabes a qué hora cierran la biblioteca? 7 A: ¿Qué tal te ha salido el examen de historia? 8 A: ¿Me prestas la novela que tenemos que leer? 9 A: Y su hijo ¿qué estudia? 10 A: ¿Cuándo terminas la carrera?

Parte 2
1 -A: ¿Qué vas a estudiar, Ángeles? -B: La verdad es que lo he pensado mucho. Cuando era pequeña quería ser médico como mi madre, pero no puedo resistir ver sangre o algo así. Después pensé en algo práctico, para tener mayor facilidad para encontrar un trabajo, así que primero voy a hacer una carrera corta y si quiero puedo ampliarla más adelante. **2** -A: ¿Qué vas a hacer estas vacaciones? -B: El año pasado hice un cursillo de tenis, hace dos años me dediqué a la informática. En agosto vamos a la playa y allí hago mucho deporte, así que creo que este mes de julio lo voy a dedicar a estudiar la asignatura que llevo peor. **3** -A: ¿Haces alguna actividad extra-académica, Rosa? -B: Bueno, mi actividad preferida no es de moverse mucho, yo no soy como tú que siempre estás haciendo deporte. Lo mío es otra cosa. **4** -A: Todas las personas mayores de 25 años pueden acceder a la universidad a través de la escuela nocturna Mirasol. Los candidatos deben tener más de 25 y menos de 45. Garantizamos la entrada. **5** -A: No sabía que estabas tan interesado en la música. -B: Bueno, no toco mal la guitarra, pero toco mejor el piano, aunque a mí me gusta componer la letra y la música de mis canciones. **6** -A: ¿Para qué sirve todo esto? -B: Mira, esto sirve para ver las estrellas, y esto lo usa mi padre para ir a la ópera o para ver los pájaros cuando va de excursión. Eso de allí no tengo ni idea para qué sirve. Tendré que preguntárselo a mi padre. **7** -A: ¿Vais mañana al museo con el colegio, Pablo? -B: Papá, allí fuimos la semana pasada, ayer estuvimos observando y estudiando muchísimos animales y mañana lo que necesito es el bañador.

Parte 3
"Buenas tardes. A partir de este momento empieza el examen. Por favor, recojan todos los objetos personales y pónganlos debajo de su asiento. La mesa debe estar completamente vacía. Un profesor entregará a cada alumno un lápiz con una goma. No utilicen ningún bolígrafo. También se les dará papel para borrador. Si tienen alguna duda, por favor levanten la mano y un profesor les atenderá. Se ruega silencio absoluto. No empiecen el examen hasta que el profesor indique que pueden empezar."

Parte 4
-Recepcionista: Buenas tardes. -Chica: Buenas tardes. Quisiera información sobre los cursos de español para extranjeros. -Recepcionista: Un momento, enseguida llamo a la persona encargada de dar información. -Señora: Buenas tardes, pase por aquí. -C: Buenas tardes. Quería información para un amigo mío que quiere estudiar español. -S: ¿Su amigo habla un poco de español? -C: Bueno, habla un poquito, pero muy poquito. Creo que ha estudiado algunos meses. -S: Está bien. Nosotros tenemos un curso intensivo de 80 horas que empieza el día 2 del mes de junio. Los estudiantes tienen clase 4 horas al día. Creo que para una persona que no habla muy bien el español, es lo mejor. -C: ¿Cuántos estudiantes hay en las clases? -S: En las clases de lengua hay un máximo de 12 estudiantes. Pero para los cursos de literatura, historia y arte el máximo es de 16 estudiantes. -C: Muy bien, muchas gracias. Le comunicaré esta información a mi amigo y si le interesa le llamaremos.

■ 5. El mundo del trabajo
Parte 1
1 A: ¿Qué te parece el nuevo director de ventas? 2 A: ¿Cuántas visitas tenemos hoy? 3 A: Señor Gómez, el señor Martínez acaba de llegar. 4 A: Buenos días, quería abrir una cuenta bancaria. 5 A: ¿Qué se va a llevar hoy, Don Francisco? 6 A: ¿Cuánto le cuesta a Olga el alquiler del piso? 7 A: ¿Podrían mandar un fontanero a mi casa? Tengo un escape de agua en el baño. 8 A: ¿Cuánto tiempo llevas trabajando en esa empresa? 9 A: ¿Qué tal tu trabajo de vigilante? 10 A: Oye, ¿tú cuánto cobras?

Parte 2
1 -A: ¿Qué va a hacer tu hermana con el tobillo roto? -B: Para trabajar no tiene ningún problema, está siempre sentada. 2

-A: ¿Qué carrera está haciendo tu hija? -B: A ella siempre le han gustado mucho los niños, pero en la empresa de su tío puede encontrar trabajo fácilmente y eso de programar se le da muy bien. 3 -A: Yo de pequeño quería ser bombero, luego marinero y al final me paso el día entero en la carretera. 4 -A: Se busca persona joven y dinámica que desee progresar en su carrera, para incorporarse a una empresa en el departamento de publicidad. Imprescindible medio de transporte. 5 -A: ¿Has pescado algo? -B: Sí, pero no he logrado pescar nada vivo. Este mar está cada vez más contaminado. 6 -A: ¿A qué hora entras a trabajar? -B: Como todo el mundo en la empresa. Por la mañana empezamos a las 8:30 y terminamos a las 2:30. Después de comer, trabajamos de 4 a 6. Algunos días hago otro horario, pero no es muy frecuente. 7 -A: ¡Vaya suerte tienes de trabajar siempre al aire libre! -B: Sí, en verano sí, pero en invierno hace mucho frío.

Parte 3

"Señores clientes, nuestra oferta del día es el jamón serrano, si usted compra un cuarto de kilo de jamón serrano de la casa, le regalamos un trozo de queso manchego del mismo peso. No olvide las ofertas de la semana, todos nuestros congelados están esta semana en oferta, aprovéchese. No olvide visitar nuestra pescadería. Nuestro personal está a su entera disposición. Si no encuentra algún producto, pregunte a cualquier empleado. Ya sabe, en Supermercados SOL usted ahorrará más."

Parte 4

-Sra. Roma: Buenos días, tengo una entrevista con el señor López García. Es para el puesto de programador. -Chica 1: El señor López está ocupado en este momento. Si quiere esperarlo puede sentarse ahí. -Sra. R: Gracias. -Sr.López: Buenos días, la señora Roma ¿verdad? -Sra. R: Sí señor, encantada. -Sr. L: Encantado. Pase por aquí, por favor. Veamos, según su curriculum vitae usted ha trabajado en la empresa Hipermás durante los últimos 3 años, ¿correcto? -Sra. R: Sí, señor. En el departamento de contabilidad. -Sr. L: Cuál era su trabajo? -Sra. Roma: Llevaba los asuntos de proveedores y de los impagados. Mi trabajo era bastante variado. -Sr. López: Usted ya ha hablado con el señor Miranda, ¡verdad? -Sra. R: Sí, señor, y también he hablado con la señora Pineda, del departamento de personal. -Sr. L: Fenomenal. Mire, la señora Álvarez, del departamento de administración, le traerá dentro de un momento el contrato. Si está usted conforme, fírmelo, y puede empezar el próximo lunes. -Sra. R: Muchas gracias. -Sr. L: Bienvenida a la empresa.

■ 6. El ocio

Parte 1

1 A: ¿Ésta es la cola para la sala 1 o para la sala 2? 2 A: ¿Sabes cuánto puede costar una entrada para ir a la ópera? 3 A: ¿Sabes que nuestro vecino actúa en una obra de teatro? 4 A: ¿Cómo vas a gastar el dinero que has ganado ayudando en la tienda? 5 A: Perdone, ¿sabe dónde está el teatro María Guerrero? 6 A: Quiero sacar estos dos libros, ¿cuánto tiempo puedo tenerlos? 7 A: ¿Te gustaría llevar a los niños al zoo? 8 A: ¿Cuándo es el concierto? 9 A: ¿Tú crees que es importante leer? 10 A: Mañana hay una conferencia sobre la democracia en América del Sur, ¿te vienes?

Parte 2

1 -A: ¿Dónde habéis estado toda la mañana? -B: Primero queríamos ir al Museo Reina Sofía, pero había mucha cola. Luego pensamos ir al museo arqueológico y al final nos hemos pasado toda la mañana haciendo diapositivas de la ciudad. 2 -A: La Fundación Miró organiza durante todo el mes de octubre un ciclo de conferencias sobre la situación actual de la cultura en España. El Alcalde de Barcelona inaugurará este importante acontecimiento cultural el día 2 de septiembre a las cinco de la tarde en la Fundación Miró. La asistencia es gratuita. 3 -A: La XVI Feria del Libro de este año se ha caracterizado por la presencia de los principales novelistas, poetas, periodistas y dramaturgos españoles e hispanoamericanos. 4 -A: Este año no he ido a ningún concierto en directo, me paso el día oyendo música pero no consigo tocar ningún instrumento. 5 -A: El popular cantante Juan Iglesias abrirá mañana la temporada de conciertos de verano en la famosa plaza de toros madrileña de Las Ventas. Para todos aquellos que prefieran una música más tradicional, la Catedral de La Almudena ofrece todos los domingos por la tarde una sesión de canto gregoriano. Y para los aficionados al deporte, El Real Madrid juega un partido amistoso con el Inter de Milán el jueves. 6 -A: La restauración de muebles viejos se ha convertido en una afición para muchos y en un arte para otros. Muchas personas consideran este nuevo arte como una necesidad. Marcos Puente, restaurador profesional, no lo ve así. Para él, restaurar está relacionado con la estética de una habitación. "Tener un mueble antiguo restaurado es tan bello o tan decorativo como tener jarros, vasijas o plantas y flores", afirma Marcos Puente. 7 -A: ¿Qué vas a hacer este fin de semana? -B: Creo que voy a salir de la ciudad. Me apetece pasar un fin de semana tranquilo en el campo. Visitar algún monumento y relajarme. La semana que viene ya haré otras actividades más movidas.

Parte 3

"Aviso a los pasajeros del vuelo AVISOL 547 con destino Madrid. Debido a problemas de tráfico aéreo entre Madrid y Barcelona este vuelo se retrasa hasta próximo aviso. Tan pronto como podamos efectuar el embarque se lo comunicaremos por los altavoces y en las pantallas de salidas nacionales."

Parte 4

-Ana: ¿Te ha gustado la película? -Jaime: Ni sí ni no. Este tipo de películas en las que no pasa nada, que sólo te cuentan cosas, no me interesan mucho. Además no me gusta estar sentado durante tres horas sin poder moverme de la butaca. Seguro que a ti sí que te ha gustado. -A: Me ha encantado. La fotografía era estupenda y la música fenomenal. Reconozco que era un poco lenta y que no había mucho diálogo, pero vale más un gesto que mil palabras. -J: A mí me gustan las películas de acción. Las que tienen un argumento o las policíacas. También me gustan las películas del oeste o las de risa. Pero eso de ir al cine a ver un dramón no es lo mío. -A: Todos los chicos sois iguales, siempre decís lo mismo.

■ 7. La salud y el cuidado del cuerpo

Parte 1

1 A: Llevo una semana haciendo régimen y no he adelgazado nada. 2 A: ¿Usted sabe si los vegetarianos comen pescado? 3 A: Mamá, me encuentro cansadísima. 4 A: Este domingo voy a organizar una paella en el campo. 5 A: ¿Qué le pongo, doña Esperanza? ¿Lo mismo de siempre? 6 A: Quiero apuntarme en tu gimnasio, necesito hacer ejercicio. 7 A: ¿Quiere un poco más, señor Fernández? 8 A: ¿Qué hay hoy para cenar? 9 A: ¿Qué te ha dicho el médico? 10 A: Le encuentro a usted fenomenal, Don Luis.

Parte 2

1 -A: Tu salud se lo merece, tu estómago te lo agradecerá, tu cuerpo te lo pide. Haz ejercicio. 2 -A: ¿Qué debo hacer, doctor? -B: Ante todo debe suprimir de su dieta todos los dulces, el pan y las frutas como el plátano y el melón. Tampoco debería comer frutos secos ni comida que contenga grasas. 3 -A: Si le aburre correr, saltar, o jugar al fútbol y necesita hacer ejercicio, apúntese a nuestro club. Tenemos piscinas climatizadas, cubiertas y al aire libre. 4 -A: Chica, pero ¿cómo te has

roto la pierna? -B: Pues ya ves, tanto hacer ejercicio, tanto ir a la montaña y al final me la he roto en casa. **5** -A: A mí me gustaría tener el mismo trabajo que tú. No sabes la suerte que tienes. Yo me paso el día al volante, hablando con personas que no conozco y con un horario pésimo. **6** -A: El problema es que mi padre cuando sale de trabajar no hace ejercicio. No camina nada porque siempre va en coche y cuando llega a casa se tumba en el sofá y se pasa la mayor parte del tiempo viendo la televisión, excepto cuando come. Y lo peor es que no duerme, bueno, que duerme poquísimo. **7** -A: Qué dolor de estómago tengo hoy, creo que voy a ir al médico -B: Te pasas la vida en el médico y siempre tienes problemas de estómago. Lo que pasa es que deberías comer menos y mejor. Hacer más ejercicio, dormir más horas y no salir hasta las 4 de la mañana tan frecuentemente. Los médicos están para ayudarte, pero no pueden cambiar tu ritmo de vida.

Parte 3

"Si se siente cansado cuando llega del trabajo, si tiene problemas de cansancio y necesita relajarse, no dude en ponerse en contacto con nosotros. El Club SALUD le ofrece un gimnasio completamente innovador con los más modernos aparatos, piscinas climatizadas, clases de aerobic, levantamiento de pesas y sesiones especializadas en relajación para aquellos que las necesiten. El lunes próximo empieza un nuevo curso de yoga. No lo dude, nosotros tenemos lo que usted necesita. Llame al número 345 89 23 y le daremos toda la información que desee."

Parte 4

-A: Buenas tardes, doctor. -B: Buenas tardes, señor Ramírez, ¿cómo se encuentra hoy? -A: Mucho mejor, gracias. La verdad es que he seguido sus consejos y me siento muchísimo mejor. Hace ya tres meses que sigo muy estrictamente la dieta que usted me recomendó. Como todas las comidas sin sal, nada de grasas y nada de bebidas con gas. Además bebo, por lo menos, un litro de agua al día. -B: Eso me parece muy bien. ¿Qué me dice de los paseos que le recomendé? -A: Bueno, eso de caminar todos los días dos horas no es lo mío. Todavía me canso mucho, pero cada día paseo por el parque que está cerca de mi casa y cuando me canso me siento en un banco y descanso. Me gusta tomar el aire y leer el periódico en el parque. -B: Está bien, pero debe seguir intentándolo. Es importante moverse. Pronto se sentirá con más fuerza. El mes que viene me cuenta, ¿de acuerdo? -A: Gracias doctor. Hasta la próxima revisión. -B: Adiós, señor Ramírez.

■ 8. Un poco de todo

Parte 1

1 A: ¿Qué te apetece hacer este fin de semana? 2 A: ¿Te ha gustado el concierto? 3 A: ¿Vas a ir al Museo de El Prado con ese amigo francés? 4 A: Tengo que ir a comprar un libro, ¿te vienes? 5 A: Oye, ¿has comprado el regalo para Pedro? 6 A: He puesto un anuncio en el periódico para vender mi moto. 7 A: Los jóvenes de hoy solamente ven la televisión. 8 A: ¿Te importaría bajar la radio? Es que me duele la cabeza. 9 A: Si no estás viendo la televisión, apágala. 10 A: ¿Ha leído usted el periódico? Es impresionante lo que dice.

Parte 2

1 -A: ¿Señor Castro, dónde le gustaría pasar estas vacaciones? -B: Me gustaría salir de la ciudad, en mi país voy mucho a la montaña, pero en España preferiría ir a la costa. 2 -A: ¿Qué haces durante tu tiempo libre? -B: Depende, durante los fines de semana hago muchas cosas, pero durante la semana lo que más me gusta hacer es leer, casi nunca veo la televisión, al cine voy muy poco. 3 -A: ¿Haces algún deporte? -B: Bueno, a mí no me gusta nada nadar, me gusta correr y jugar al balón. Soy demasiado bajito para jugar al baloncesto, antes jugaba pero ahora no. 4 -A: Oye, Pilar, ¿dónde te quedaste cuando estuviste en la Costa del Sol? -B: Bueno, en agosto los hoteles, el camping, los hostales o las casas cerca de la playa, o son muy caros o están completos, pero tuve la oportunidad de alquilar un pisito que tiene una amiga en un pueblo, a unos 20 minutos de la playa. 5 -A: ¿Qué hacemos esta noche? -B: Podemos ir a una discoteca a bailar, a un café a charlar o a un buen restaurante a cenar. -A: Ni comida ni nada de eso, yo lo que quiero es moverme para perder un poco de peso. 6 -A: Oye, quiero reservar una habitación para el próximo fin de semana en el parador de Segovia, pero no tengo el teléfono y el fax no funciona, ¿qué hago? -B: Pues ya sabes, el método tradicional es el mejor. No olvides mandarla urgente. 7 -A: ¿Sabe usted dónde puedo comprar un periódico inglés? -B: Hombre, normalmente en los quioscos. En algunas bibliotecas tienen periódicos extranjeros, pero no los puedes comprar, sólo los puedes consultar.

Parte 3

"La dirección general de tráfico advierte a los conductores que hay retenciones de dos y tres horas en las carreteras de Valencia y Burgos. También recomienda, para estos cuatro días de fiesta, prestar especial atención a la carretera y ser, ante todo, prudente. Lo importante no es llegar antes, sino llegar sano y salvo. Las autoridades recomiendan no conducir a primeras horas de mañana por la mañana debido a los bancos de niebla. Si tiene usted que conducir, sea prudente."

Parte 4

-A: Cristina, ¿cómo te ha ido la entrevista? -B: Bien, creo que bien, yo he salido contenta. Ahora sólo tengo que esperar. -A: ¿Qué te han preguntado? -B: Bueno, me han hecho tantas preguntas que ya no lo recuerdo todo. Pero ha sido una entrevista bastante informal. Primero me han preguntado cosas sobre mi curriculum vitae, es decir, qué tipo de estudios he realizado y todo eso. Luego, una señora americana me ha hecho una prueba de inglés. -A: Y ¿qué te ha dicho? -B: Pues que hablo muy bien el inglés. Luego me han preguntado por qué quiero seguir estudiando y cuál sería el puesto de trabajo que me gustaría tener en el futuro. -A: ¿Te han hecho preguntas personales? -B: ¡Pues, claro! -A: Pero, ¿cuánto tiempo ha durado la entrevista? -B: Más o menos unas dos horas. También me han hablado de los cursos que voy a tener, de los profesores y de las posibilidades de conseguir unas prácticas cuando termine el máster.

Clave de Ejercicios

1. La vida cotidiana

Prueba 1

•**Parte nº1** 1. Falso. 2. Verdadero. 3. Falso •**Parte nº2** Texto 1.-a (Tiene que comprar un postre dulce.)Texto 2.-c (Puede pasear por un parque agradable y cuidado.)Texto 3.-b (Tratarlo con limón y aceite.)Texto 4.-a (Es importante cuidar su forma de vestir.)Texto 5.-a (Existen situaciones que nos pueden poner en peligro.)Texto 6.-a (A veces no tienen el tamaño adecuado.)Texto 7.-a (Guardar una distancia prudente con respecto al vehículo que va delante.)•**Parte nº3** 1.- El 900; 2.-El 904; 3.- El 900; 4.- El 905; 5.- Desde las 22 hasta las 8; 6.- El 903; 7.- El 901.

Prueba 3

•**Parte nº1** 1-b (¿Y qué le has dicho?) 2-c (Un momento, ¿de parte de quién?) 3-b (¿Qué precio tiene?) 4-c (Por avión, por favor) 5-b (He quedado con Teresa para ir al cine.) 6-c (Lo siento, pero no tengo cambio.) 7-b (De nueve a seis como casi todo el mundo) 8-a (¡Ha salido el anuncio que hemos puesto?) 9-b (Lo siento, pero hoy no lo he traído.) 10-a (En un restaurante libanés) •**Parte nº2** Texto 1. b Texto 2. a Texto 3. c Texto 4. b Texto 5. b Texto 6. b Texto 7. a •**Parte nº3** 1-b Deberían cambiar de tren en la estación de Quevedo. 2-a Funcionará el mes que viene.•**Parte nº4** 1. c 2. a

Prueba 4

•**Parte nº1** 1.-b (Le han dicho que su coche estaría listo hoy, pero no es así.) 2.-a (Está Ud. agradeciendo un regalo.) 3.-c (El profesor le parece antipático y desagradable.) 4.-b (Ud. no sabe dónde está la estación.) 5.-b (Ud. quiere hablar por teléfono con Juan.)•**Parte nº2** 1.-d (estuvo) 2.-g (también) 3.-f (más) 4.-b (hemos ido) 5.-c (tía) 6.-a (será) 7.-j (temprano) 8.-e (conocerle) 9.-i (mucho) 10.-h (hay)•**Parte nº3** 1.-b (para) 2.-a (vamos) 3.-c (bastante) 4.-b (es) 5.-a (mira) 6.-b (a ver) 7.-a (vale) 8.-b (tendremos) 9.-a (algún) 10.-c (será) 11.-a (soplarán) 12.-b (sin) 13.-b (ves) 14.-a (todo) 15.-b (vamos)

2. El entorno familiar

Prueba 1

•**Parte nº1** 1. Falso. 2. Falso. 3. Verdadero •**Parte nº2** Texto 1.-b (No puede ir a recoger a sus padres.)Texto 2.-c (No tienen con quién vivir.)Texto 3.-b (Puede entrar Ramón, de 9 años, que va con su abuelo.)Texto 4.-c (Los padres de Mª del Mar y de Juan José)Texto 5.-b (Servir una buena comida.)Texto 6.-b (Resuelven el problema de las madres que trabajan.)Texto 7.-c (Es su yerno.)•**Parte nº3** 1 1.-c (En ninguno) 2.-a (Cuando llevan 50 años casados.) 3.-c (La boda de Berta y Manuel) 4.-b (El bautizo) 5.-b (En la primera comunión) 2 1.-b (El piso de Alonso Martínez) 2.-b (El chalé de la carretera de Valencia) 3.-c (El piso de Alonso Martínez) 4.-b (El chalé de la carretera de Valencia) 5.-c (El chalé de la carretera de Valencia)

Prueba 3

•**Parte nº1** 1-a (El hijo de mi tío Pedro) 2-b (Las entradas para el concierto) 3-b (Voy a llevar a mi hijo al dentista.) 4-c (A estudiar a casa de Manolo, como siempre.) 5-b (Cógela, está en el armario.) 6-c (¿Y qué te ha dicho?) 7-b (¡Estoy en la cocina! Adivina quién está aquí.) 8-c (Estupendo, los voy a llevar al cine.) 9-b (¡Qué bien! ¿Crees que me ayudará a arreglar mi coche?) 10-c (Pues tendremos que avisar al técnico.)•**Parte nº2** 1.-c, 2.-c, 3.-b, 4.-c, 5.-c, 6.-a, 7.-b •**Parte nº3** 1-c (A la consulta de un médico) 2-b (De 5 a 8) 3-a (Para casos graves)•**Parte nº4** 1-c (Intentar resolver los problemas de matemáticas.) 2-b (Pedir ayuda a su padre.) 3-a (Estudiar para el examen con su padre.)

Prueba 4

•**Parte nº1** 1.-c (Ud. está comiendo) 2.-a (Ud. cree que Carlos sale demasiado...) 3.-a (Ud. le pide ayuda a su padre) 4.-b (Ud. pide permiso a su madre...) 5.-a (Ud. quiere que Marcos le deje su coche.)•**Parte nº2** 1.-a (es) 2.-f (pedido) 3.-b (ver) 4.-d (familia) 5.-c (fuimos) 6.-h (dirección) 7.-j (descalzo) 8.-g (visto) 9.-i (pagan) 10.-e (estar)•**Parte nº3** 1.-c (pero) 2.-b (con) 3.-a (recomiendan) 4.-b (más) 5.-a (deberían) 6.-c (cuántos) 7.-b (gusta) 8.-b (sienten) 9.-c (otra) 10.-a (muchas) 11.-c (en) 12.-b (quedaban) 13.-b (ha cambiado) 14.-c (era) 15.-a (ya)

3. Campo y ciudad

Prueba 1

•**Parte nº1** 1. Verdadero. 2. Falso. 3 Falso •**Parte nº2** Texto 1.-b (Venden sus productos directamente.)Texto 2.-a (No tienen posibilidades de trabajo remunerado.)Texto 3.-b (Alquilar una casa de campo.)Texto 4.-a (Miles de madrileños salen de la ciudad para pasar sus vacaciones.)Texto 5.-b (Saldrán a cenar fuera.)Texto 6.-c (En vacaciones el pueblo se llena de gente.)Texto 7.-b (Unas vacaciones al aire libre, en un ambiente...)•**Parte nº3** 1.-c (Valdesotos) 2.-a (Pasar un tiempo en Madrid.) 3.-b (Lisboa) 4.-b (El Bierzo) 5.-a (En las Islas Canarias) 6.-b (La Sierra Norte de Madrid) 7.-a (Pasar sus vacaciones en Valdesotos.) 8.-c (La sierra de Grazalema) 9.-b (En Madrid) 10.-b (Tenerife)

Prueba 3

•**Parte nº1** 1-b (No, a mí la montaña no me va mucho, soy muy de ciudad.)2-a (Sí, ¿cómo es?) 3-c (Más o menos unas dos horas en autocar) 4-a (Mujer, pero si sólo vivimos a 20 minutos.) 5-a (Sí, pero también tiene

Certificado inicial de E.L.E.

menos ventajas.) 6-b (Cuando lleguemos a la costa.) 7-a (Me encantaría ir otra vez al río.) 8-c (Que mañana no lloverá, así que podemos...) 9-b (En una granja hay que trabajar un montón, ¿estás dispuesto?) 10-a (Llueve mucho, sí, pero eso es muy bueno para la tierra.) •**Parte nº2** 1.-c, 2.-c, 3.-c, 4.-b, 5.-b, 6.-a, 7.-a •**Parte nº3** 1-b (A aquellas personas que hayan perdido algún objeto personal.) 2-c (Tienen que ir a la oficina de objetos perdidos.) •**Parte nº4** 1.-c (Siempre hay alguna actividad...) 2.-a (La gente vive con mucha más tranquilidad...)

Prueba 4

•**Parte nº1** 1.-c (Ud. quiere saber cuándo vendrán sus amigos.) 2.-b (A Ud. le aconsejan ir al médico.) 3.-a (A Ud. le recomiendan pasar un tiempo en el campo.) 4.-c (Ud. quiere saber qué programas de TV. hay hoy.) 5.-b (Ud. está en una farmacia.)•**Parte nº2** 1.-d (sufren) 2.-i (pequeñas) 3.-b (se levanta) 4.-c (más) 5.-f (edades) 6.-a (trasladarse) 7.-e (fuera) 8.-g (roto) 9.-j (seguir) 10.-h (encuentran)•**Parte nº3** 1.-a (para) 2.-b (sino) 3.-c (hay) 4.-a (se) 5.-c (grandes) 6.-b (todo) 7.-a (vienen) 8.-c (encontraban) 9.-a (eran) 10.-c (sueñan) 11.-c (cerca) 12.-a (muy) 13.-c (debería) 14.-b (porque) 15.-c (tampoco)

4. La educación

Prueba 1

•**Parte nº1** 1. Falso. 2. Verdadero. 3. Falso •**Parte nº2** Texto 1.-b (Hasta los 16 años)Texto 2.-a (Elegir entre varias carreras.)Texto 3.-a (Quieren saberlo casi todo.)Texto 4.-b (Ayudarlos a preparar lo necesario.)Texto 5.-b (Leer es adquirir nuevos conocimientos.)Texto 6.-a (Ganan menos de tres millones.)Texto 7.-c (Para enseñar a los niños a comportarse.) •**Parte nº3** 1.-b (restauradora) 2.-c (documentalista) 3.-a (imagen y sonido) 4.-b (secretario/a) 5.-b (electricista) 6.-a (fisioterapia) 7.-c (fontanería) 8.-c (técnico en imagen) 9.-c (secretariado) 10.-a (restauración)

Prueba 3

•**Parte nº1** 1-b (Una sobre la UE) 2-c (La de biología me encanta.) 3-c (Tres: español, inglés y francés) 4-b (Yo sí, y tú, ¿qué asignaturas...) 5-c (¿Cuándo lo quieres hacer?) 6-c (No estoy seguro, pero creo que muy tarde.) 7-a (Las dos primeras preguntas bien, la...) 8-b (¿Por qué no te la compras?) 9-b (Pues Derecho, y está muy contento.) 10-c (Sólo estoy en segundo, me quedan...)•**Parte nº2** 1.-c, 2.-c, 3.-b, 4.-c, 5.-b, 6.-a, 7.-c•**Parte nº3** 1-c. (Pueden empezar el examen cuando lo diga el profesor.) 2-b. (Pueden preguntar algo al profesor.) 3-a. (Deben colocar sus cosas debajo del...)•**Parte nº4** 1-b (¿Cómo son los cursos de español?) 2-c (Que un curso intensivo es lo mejor...)

Prueba 4

•**Parte nº1** 1.-a (Su compañero necesita el informe que Ud. ha hecho.) 2.-b (Ud. quiere saber la fecha...) 3.-b (Ud. necesita saber cuál es el último día...) 4.-c (Un compañero suyo le pregunta cuántas clases tiene.) 5.-a (Un amigo suyo quiere estudiar con Ud.)•**Parte nº2** 1.-c (durante) 2.-i (final) 3.-e (asiste) 4.-h (causa) 5.-f (período) 6.-j (nivel) 7.-b (después) 8.-g (departamento) 9.-d (estudiar) 10.-a (realiza) •**Parte nº3** 1.-b (has visto) 2.-a (tienen que) 3.-a (aquella) 4.-b (íbamos) 5.-a (cómo) 6.-a (vio) 7.-b (dieron) 8.-b (era) 9.-b (nunca) 10.-b (que) 11.-b (le) 12.-c (primer) 13.-b (enseñé) 14.-b (pinté) 15.-a (lo)

5. El mundo del trabajo

Prueba 1

•**Parte nº1** 1. Falso. 2. Falso. 3. Verdadero•**Parte nº2** 1.-b (Montar un negocio propio.) 2.-a (Los que se dedican al cuidado de la naturaleza.) 3.-c (Son vendedores de casas.) 4.-b (Julián se disculpa porque no ha completado el trabajo.) 5.-c (El pago con la tarjeta GRAN VÍA hace que...) 6.-b (Se necesitarán gestores en el mercado laboral.) 7.-c (Información sobre puestos de trabajo) 8.-b (Personas que quieren conseguir un trabajo oficial.) 9.-a (Los usuarios dispondrán de menos trenes de lo habitual.) 10.-b (Propone hacer el trabajo sin ir a la empresa.)•**Parte nº3** 1.-b (Empresa MERCASA) 2.-c (Comunidad Catalana) 3.-a (Vuelva al campo.) 4.-b (Constructora de ámbito nacional) 5.-c (Consejería de Medio Ambiente) 6.-b (Durante el verano) 7.-a (Verde, verde) 8.-c (Casa España) 9.-b (La de "Vuelva al campo") 10.-b (Chocolates "La felicidad")

Prueba 3

•**Parte nº1** 1-b (Todavía no me lo han presentado.) 2-a (Un poco más de las normales...) 3-b (Gracias, hágalo pasar.) 4-a (¿A su nombre?) 5-b (Un kilo de tomates para ensalada...) 6-a (Creo que no es muy caro...) 7-a (¿Me da usted su dirección, por favor?) 8-b (Este mes ha hecho dos años.) 9-c (Bien, lo peor es el horario de noche.) 10-c (No me gusta hablar de estas cosas, lo siento.)•**Parte nº2** 1.-c, 2.-b, 3.-c, 4.-c, 5.-c, 6.-b, 7.-c •**Parte nº3** 1-b (El jamón serrano y los congelados) 2-c (Los clientes pueden comprar cada semana...)•**Parte nº4** 1-b (Ha trabajado antes.) 2-a (Quiere que la sra. Roma empiece a trabajar...)

Prueba 4

•**Parte nº1** 1.-a (Ud. está en un café.) 2.-c (Ud. quiere saber qué tiene que hacer...) 3.-c (Ud. está fuera del país...) 4.-a (Ud. le dice a un empleado...) 5.-b (Ud. va a trabajar en un garaje.)•**Parte nº2** 1.-h (favorezcan) 2.-b (empleo) 3.-i (países) 4.-a (común) 5.-d (grave) 6.-c (solución) 7.-e (posibilidades) 8.-f (más) 9.-g (hay) 10.-j (terminen)•**Parte nº3** 1.-b (ofreciendo) 2.-a (muy) 3.-c (después) 4.-a (ha convertido) 5.-a (que) 6.-b (de los) 7.-c (en) 8.-b (conseguir) 9.-a (mayor) 10.-b (surgió) 11.-c (vio) 12.-a (estaban) 13.-a (durante) 14.-a (lo) 15.-a (tan)

6. El ocio

Prueba 1

Parte nº1 1. Falso. 2. Verdadero. 3. Falso•**Parte nº2** 1.-b (Implica actividad e iniciativa.) 2.-c (Se encuentran con largas caravanas...) 3.-b (Alquilan casas fuera de las ciudades.) 4.-c (Pueden negar la entrada a alguna persona.) 5.-b (Están mucho tiempo frente al televisor.) 6.-b (Permanecerá abierto más tiempo algunos días.) 7.-c (Sabe dónde han quedado Carmen y Luisa.)•**Parte nº3** 1.-b (La segunda quincena de julio) 2.-c (A Mérida) 3.-c (Rock para muy rockeros) 4.-a (En Sevilla) 5.-b (Fotografías inéditas) 6.-b (Comediantes) 7.-c (Del 17 al 26 de julio) 8.-a (En Madrid) 9.-b (Fotografías inéditas) 10.-b (En Vitoria)

Prueba 3

•**Parte nº1** 1-b (Para la sala 2, es la otra cola...) 2-a (No estoy seguro, pero creo que es carísimo.) 3-b (Sí, y me ha regalado dos entradas.) 4-a (Voy a comprar dos entradas para un concierto de guitarra.) 5-c (Lo siento, no soy de aquí.) 6-b (Dos semanas) 7-a (Es una buena idea...) 8-c (El de piano es el jueves.) 9-b (Pues claro, ¿cómo vas a aprender si no lees?) 10-a (La verdad es que la política...)•**Parte nº2** 1.-c, 2.-a, 3.-a, 4.-b, 5.-b, 6.-a, 7.-a •**Parte nº3** 1-b (No saldrá hasta que se despeje el tráfico aéreo.) 2-c (Por los altavoces)•**Parte nº4** 1-b (De arte y ensayo) 2-c (Con mucha acción) 3-c (Ver películas del Oeste.)

Prueba 4

•**Parte nº1** 1-b (Le descansa ver películas de amores.) 2-b (En el teatro, le importa el lugar en el que se sienta.) 3-b (Le gustaría saber bailar.) 4-a (Le proponen ir al cine.) 5-a (El disco está en malas condiciones...)•**Parte nº2** 1.-b (tres) 2.-f (pagar) 3.-c (apasiona) 4.-a (aire) 5.-j (tan) 6.-d (gusta) 7.-g (miles de) 8.-i (espectáculo) 9.-e (además de) 10.-h (llenan)•**Parte nº3** 1.-b (usted) 2.-a (por) 3.-b (iba) 4.-b (estaba) 5.-c (trabajé) 6.-a (toda) 7.-c (lo que) 8.-a (ve) 9.-b (de) 10.-a (hay) 11.-c (sienta) 12.-c (del) 13.-a (abre) 14.-b (más que) 15.-b (son)

7. La salud y el cuidado del cuerpo

Prueba 1

•**Parte nº1** 1. Falso. 2. Falso. 3. Verdadero•**Parte nº2** 1.-b (Un sistema para adelgazar) 2.-c (Los anuncios que no dicen toda la verdad...) 3.-a (Un horario flexible...) 4.-c (Productos naturales variados) 5.-b (Ha empezado un régimen para adelgazar.) 6.-c (Realizar actividades de fin de semana.) 7.-a (Necesario para el crecimiento)•**Parte nº3** 1.-c (Comer un poco de todo.) 2.-b (noveno) 3.-c (cuarto) 4.-a (Tanto el cuerpo como la mente) 5.-c (Pensar en la salud y disfrutar de la vida.) 6.-b (El quinto) 7.-b (La actividad mental es un buen estimulante.) 8.-b (Tercero) 9.-a (Hacerse un estudio médico periódicamente.) 10.-c (Nunca deben practicarse en exceso.)

Prueba 3

•**Parte nº1** 1-b (Es que deberías hacer ejercicio.) 2-a (Pues, algunos sí y otros no...) 3-c (No me extraña; es que comes poquísimo.) 4-a (¡Sí?, y ¿quién va a cocinar?) 5-c (Sí, señor, y deme también...) 6-c (Fenomenal, así podremos ir juntos.) 7-a (No, gracias...) 8-b (He preparado una ensalada tropical...) 9-a (Que tienen que sacarme una muela...) 10-c (Es que camino dos horas todos los días.)•**Parte nº2** 1.-b, 2.-b, 3.-a, 4.-c, 5.-b, 6.-a, 7.-b •**Parte nº3** 1-c (Puedes asistir a algunas sesiones de relajación.) 2-a (De los aparatos más modernos para hacer gimnasia.)•**Parte nº4** 1-b (Ha ido al médico...) 2-a (Que todos los días debe caminar por lo menos dos horas.)

Prueba 4

•**Parte nº1** 1.-c (No sé, pero necesito tomar algo muy ligero.) 2.-a (Para mí, lo importante es cuidar la naturaleza.) 3.-a (¿Te apetecería correr conmigo?) 4.-b (Es imprescindible dormir...) 5.-a (Buenas tardes, quería pedir hora...)•**Parte nº2** 1.-b (comer) 2.-f (pero) 3.-g (tampoco) 4.-i (tabla) 5.-c (sierra) 6.-h (paso) 7.-d (lo que) 8.-e (voy) 9.-a (nos despedimos de) 10.-j (tiempo)•**Parte nº3** 1.-b (ha convertido) 2.-a (es) 3.-b (la) 4.-b (en) 5.-a (lo) 6.-a (aunque) 7.-c (se) 8.-b (corazón) 9.-c (otro) 10.-b (siempre) 11.-a (menos) 12.-b (ti) 13.-c (razón) 14.-b (debe) 15.-a (cuáles)

8. Un poco de todo

Prueba 1

•**Parte nº1** 1. Falso. 2. Verdadero. 3. Falso •**Parte nº2** 1.-b (Cada vez se venden más revistas.) 2.-c (Debe llamar a Luis por la mañana...) 3.-a (Es un caramelo.) 4.-b (El castellano es la misma lengua que el español.) 5.-c (Deben abandonar el hospital a las 19 h.) 6.-c (Pueden comprar los billetes los días anteriores.) 7.-c (Están arreglando las calles.)•**Parte nº3** 1.-c (Cita con la calle) 2.-a (En directo) 3.-c (Tarde de acción) 4.-a (En directo) 5.-b (Las mañanas de Radio 1) 6.-c (Tarde de acción) 7.-b (Los 40 principales) 8.-c (La radio de Julia) 9.-a (Clásicos populares) 10.-c (Opiniones y problemas de la gente...)

Prueba 3

•**Parte nº1** 1-c (Me gustaría salir de la ciudad.) 2-c (Sí, muchísimo) 3-a (No, fuimos ayer...) 4-b (Bueno, y

¿qué hacemos después?) 5.-a (Sí, le he comprado un cómic...) 6.-b (Y ¿te ha llamado alguien?) 7.-c (Pues mis hijos casi nunca la ven...) 8.-b (Sí, claro, pero tómate una aspirina.) 9.-b (Es que estoy esperando que...) 10.-c (Sí, y me ha dejado impresionada...) **•Parte nº2** 1.-c, 2.-c, 3.-a, 4.-c, 5.-a, 6.-b, 7.-a **•Parte nº3** 1.-c (Tener cuidado en la carretera.) 2.-b (No se puede circular...) **•Parte nº4** 1.-b (A una entrevista para estudiar un máster.) 2.-c (Quiere estar preparada para estar en...) 3.-b (Ha durado unas dos horas.)

Prueba 4

•Parte nº1 1.-b (¿Cuánto cuesta este periódico?) 2.-a (¿Puede poner la radio?) 3.-a (Pues yo prefiero el día) 4.-b (Muchos jóvenes quieren vivir en familia) 5.-a (Quieren vivir en la ciudad...) **•Parte nº2** 1.-a (da) 2.-b (ilusión) 3.-e (el) 4.-i (gran) 5.-d (con) 6.-h (algún) 7.-g (casi) 8.-j (hasta) 9.-f (mundo) 10.-c (qué) **•Parte nº3** 1.-b (para) 2.-a (un) 3.-c (hago) 4.-b (poco) 5.-a (¿a quién?) 6.-b (se) 7.-b (era) 8.-a (bueno) 9.-c (siga) 10.-b (suelo) 11.-c (alguna) 12.-a (a) 13.-a (se) 14.-c (único) 15.-a (por lo menos)